VOCABULAIRE ▶

**Tout le vocabulaire usuel
à la fin du collège**

des textes **sonorisés**
pour entendre les
mots en contexte ⋯⋯

des **exercices** pour ancrer
les mots essentiels

des focus de
civilisation

TOUS LES CORRIGÉS
▶ p. 338-350

COMPLÉMENTS AUDIO

Tous les **Listen!** 🎧
et les exemples
de la partie Prononciation
sont accessibles sur le site
www.bescherelle.com.

Alphabet phonétique

Voyelles brèves

/ɪ/	big, pig, which, England
/e/	bed, pen, hen, said
/æ/	cat, hat, map
/ɒ/	dog, got
/ʊ/	good, would
/ʌ/	mug, bus, duck, luck, does
/ə/	pizza, gorilla, America, an, about

Voyelles longues

/iː/	beach, see, sea, believe
/ɑː/	car, father, dance
/ɔː/	pork, walk, more, taught, thought, law
/uː/	two, moon, too, whose, rule
/ɜː/	bird, work, heard

Diphtongues

/eɪ/	cake, snake, mail, make
/aɪ/	cry, five, while, might
/ɔɪ/	boy, toy
/əʊ/	goat, hope, note, ago, don't, those
/aʊ/	brown, cow, now, house, hour, about, down
/ɪə/	dear, year, here, hear
/eə/	hair, chair, bear, there, rare
/ʊə/	poor, sure, tour

Consonnes

/θ/	thank, thing
/ð/	mother, this
/z/	zebra, dogs
/ʃ/	sugar, shoes, shall
/ʒ/	beige, treasure
/tʃ/	children, teacher, choose
/dʒ/	job, jeans, just
/ŋ/	English, singing
/j/	yes, yellow, uniform, yet

Le signe /'/ indique l'accent principal du mot.

Abréviations et symboles

V	verbe	≠	différent de	**indén.**	indénombrable
V-ing	verbe + -ing	**sb**	somebody	**inv.**	invariable
pl.	pluriel	**qqn**	quelqu'un	🇬🇧	anglais britannique
adj.	adjectif	**sth**	something	🇺🇸	anglais américain
Ø	article zéro	**qqch.**	quelque chose	**fam.**	familier

L'astérisque * signale les verbes irréguliers.

Bescherelle

collège

Anglais

A1 → B1

Jeanne-France Bignaux
Agrégée de l'Université
Professeur au lycée Saint-Exupéry (Mantes)

Sylvie Collard-Rebeyrolle
Agrégée de l'Université
Professeur au lycée Bellevue (Toulouse)

Wilfrid Rotgé
Agrégé de l'Université
Professeur de linguistique anglaise à Sorbonne
Université (Paris)

Hatier

SOMMAIRE

Les numéros renvoient aux **PARAGRAPHES**.

GRAMMAIRE

Le verbe

Le nom

La phrase

© Hatier, 2011 pour la première édition
© Hatier, 2018 pour la présente édition
ISBN 978-2-401-04336-7

Conception graphique : Frédéric Jély
Réalisation : Dany Mourain
Édition : Olivier Martin
Illustrations : Henri Fellner, Philippe Gady
Cartographie : Coredoc

VOCABULAIRE

CONJUGAISON

PRONONCIATION

ANNEXES

– Chelous, hein ?
– Ils sont quelque peu bizarres, n'est-ce pas ?

GRAMMAIRE

Be

Be peut s'employer comme un **verbe** ordinaire, et dans ce cas il se traduit souvent par « être ». Comme **auxiliaire**, il permet de former le présent et le prétérit en *be + -ing* ainsi que le passif.

1 Conjuguer *be*

● Conjuguer *be* au **présent**

	I	he/she/it	we/you/they
affirmation	I'm I am	he's he is	we're we are
négation	I'm not I am not	she isn't she is not	you aren't you are not
interrogation	Am I?	Is it?	Are they?

● Conjuguer *be* au **prétérit**

	I/he/she/it	we/you/they
affirmation	I was	we were
négation	he wasn't he was not	you weren't you were not
interrogation	Was it?	Were they?

● Les formes contractées (*I'm, I wasn't*...) sont plus fréquentes que les formes pleines (*I am, I was not*...). À la forme négative, on rencontre aussi *'s not* à la place *isn't* et *'re not* à la place de *aren't*.

2 Employer le verbe *be*

● On emploie *be* comme le verbe « être ».
  • "Hi Josh. Where **are** you?" "I**'m** in New York."
    « Salut, Josh. Où es-tu ? – Je suis à New York. »
  • I **was** ill last night, but my parents were at home.
    J'étais malade hier soir, mais mes parents étaient
    à la maison.

CAREFUL!

Parfois on emploie *be* en anglais là où on emploie « avoir » en français : « avoir » est suivi d'un nom et *be* d'un adjectif.

I'**m** hungry but I'**m** not thirsty.	**Are** you cold?
J'ai faim mais je n'ai pas soif.	As-tu froid ?
We **are** 15 (years old).	She **is** right.
Nous avons 15 ans.	Elle a raison.

◗ Parfois, *be* ne se traduit ni par « être », ni par « avoir ».

- ◦ I'**m** Kelly.
  Je m'appelle Kelly.

- ◦ "How **are** you?" "I'**m** fine, and you?"
  « Comment vas-tu ? – Je vais bien, et toi ? »

- ◦ It'**s** cold!
  Il fait froid !

 **Training**

1 **Complète les phrases avec *be*. Utilise la forme contractée quand c'est possible.**

I . . . . *not Irish.* → *I'm / am* . . . . . . *not Irish.*

1. We . . . . (not) in London. We . . . . in Miami for a week!

2. I . . . . French and they . . . . American. But they . . . . (not) from New York.

3. Laurie . . . . (not) at home. . . . . she with her friend Giovanni?

4. Yesterday, she . . . . tired. She . . . . (not) in her office.

5. Yesterday, I . . . . with my cousins. But we . . . . (not) in their house.

Corrigés p. 340

3 · *There is/There are* : « il y a »

On emploie ***there is/there are*** pour dire « il y a quelque chose ou quelqu'un ». La forme contractée de *there is* est *there's*.

🔹 *There **is*** est suivi d'un nom **singulier**. *There **are*** est suivi d'un nom **pluriel**.

> • **There is** a bridge near the station.
> Il y a un pont près de la gare.

> • **There are** twenty pupils in this class.
> Il y a vingt élèves dans cette classe.

🔹 On emploie *there was/there were* pour parler du passé.

> • **There were** twenty pupils in my class.
> Il y avait vingt élèves dans ma classe.

🔹 On emploie *there will be* pour parler de l'avenir.

> • **There will be** a lot of people in the stadium.
> Il y aura beaucoup de monde dans le stade.

🔹 « Il pourrait y avoir » se dit *there could be* et « il devrait y avoir » *there should be*.

> • **There could be** more than eight planets.
> Il pourrait y avoir plus de huit planètes.

> • **There should be** more people.
> Il devrait y avoir plus de monde.

4 · Employer l'auxiliaire *be*

🔹 *Be* auxiliaire sert à former le présent et le prétérit en *be + -ing* (▸ 15 et 24). Dans ce cas, il ne signifie pas « être » ou « exister ».

> • My parents **are preparing** a barbecue in the garden.
> Mes parents sont en train de préparer un barbecue dans le jardin.

🔹 *Be* auxiliaire sert aussi à former le passif (▸ 38), comme « être » en français.

> • We **are invited** to two parties tonight!
> Nous sommes invités à deux fêtes ce soir !

Training

2 **Coche la forme qui convient.**

1. I ❏ am ❏ have ❏ were very cold and hungry but I ❏ am ❏ have ❏ were happy to be with you.

2. Do you think she ❏ am ❏ is right?

3. My older sister ❏ am ❏ is ❏ has 20 years old.

4. I don't understand! There ❏ is ❏ are ❏ were just one chair at the table but there ❏ is ❏ are ❏ was 4 guests for dinner.

5. Look! She ❏ am ❏ is ❏ was wearing new jeans!

6. They ❏ am ❏ are ❏ were watching TV when I arrived. They ❏ aren't ❏ wasn't ❏ weren't doing their homework!

Corrigés p. 340

« J'ai 15 ans. Je m'appelle Laura. » « Je m'appelle Fifi, je ne suis pas un chat. »

Have

Have peut s'employer comme un **verbe** ordinaire et dans ce cas il se traduit souvent par « avoir ». Comme **auxiliaire**, il permet de former le *present perfect* et le *pluperfect*. La conjugaison n'est pas la même dans les deux cas.

5 Employer le verbe *have* au présent

🔴 Pour dire « avoir, posséder », on peut employer *have*.
- We **have** one house and two cars.
  Nous avons une maison et deux voitures.

🔴 Quand *have* signifie « avoir, posséder », il se conjugue comme un verbe ordinaire, avec *do*.

	I/we/you/they	he/she/it
affirmation	You **have** a bike. Tu as un vélo	She **has** a brother. Elle a un frère.
négation	You **don't have** a bike. Tu n'as pas de vélo.	She **doesn't have** a brother. Elle n'a pas de frère.
interrogation	**Do** you **have** a bike? Est-ce que tu as un vélo ?	**Does** she **have** a brother? Est-ce qu'elle a un frère ?

🔴 *Have* a parfois un autre sens : *have lunch/dinner* (déjeuner/dîner), *have fun* (s'amuser), *have a bath/a shower* (prendre un bain/une douche). Dans ces expressions, *have* se conjugue aussi avec *do*.
- **Do** you **have** a bath every morning?
  Tu prends un bain tous les matins?

6 Employer *have got*

🔴 Pour dire « avoir, posséder » **au présent**, on peut aussi employer **have got**.
- We**'ve got (have got)** one house and two cars.
  Nous avons une maison et deux voitures.

● *Have* dans *have got* se conjugue comme un auxiliaire, sans **do**.

	I/we/you/they	he/she/it
affirmation	You**'ve** (have) **got** a bike. Tu as un vélo.	She**'s** (has) **got** a brother. Elle a un frère.
négation	You **haven't got** a bike. Tu n'as pas de vélo.	She **hasn't got** a brother. Elle n'a pas de frère.
interrogation	**Have** you **got** a bike? Est-ce que tu as un vélo ?	**Has** she **got** a brother? Est-ce qu'elle a un frère ?

● *'s got* et *hasn't got* sont plus fréquents que *has got* et *has not got*. À la forme négative, on rencontre aussi *'ve not got* à la place de *haven't got* et *'s not got* à la place de *hasn't got*.

Training

1 **Complète les phrases à l'aide de *have got* à la forme contractée (quand c'est possible).**

1. Rex................... four bones.

2. He................... a nice doghouse.

3. I................... a lot of friends.

4. You................... plenty of time.

5. .... you................... any brothers and sisters?"
"No, I................... any. I'm an only child."

6. "................... Tony................... a cat ?"
"No, he................... a cat but he................... a dog."

(Corrigés p. 340)

« Tu prends un bain tous les matins ? »

7 Employer le verbe *have* au prétérit

Have got ne s'emploie **qu'au présent**. Au passé, il faut utiliser *had* et non ~~had got~~.

	I/he/she/it/we/you/they
affirmation	They **had** a dog. Ils avaient un chien.
négation	They **didn't have** a dog. Ils n'avaient pas de chien.
interrogation	**Did** they **have** a dog? Est-ce qu'ils avaient un chien ?

8 Employer l'auxiliaire *have*

Have auxiliaire suivi du participe passé sert à former le *present perfect* et le *pluperfect* (▶ 26 et 35). Dans ce cas, il ne signifie pas « avoir », « posséder ».

> • I **have** already **mentioned** it.
> Je l'ai déjà mentionné.

Training

2 Barre les phrases dans lesquelles *have/has* est auxiliaire.

1. He has got a new bike.

2. Do you often have dinner in the garden?

3. They have never been to London.

4. She didn't have any pets when I last saw her.

5. Does your boyfriend have blue eyes?

6. Have you ever played golf?

Corrigés p. 340

Do

Do peut s'employer comme un **verbe** ordinaire et dans ce cas il se traduit souvent par « faire ». Mais il est surtout employé comme **auxiliaire** dans les négations et les interrogations.

9 Employer l'auxiliaire *do*

◗ *Do* s'emploie comme auxiliaire au présent dans les négations ou les interrogations ▸ 11 . Dans ce cas, *do* n'a pas un sens particulier.

◗ L'ordre est « *do* + *not* + verbe » dans les négations. L'ordre est « *do* + sujet + verbe » dans les interrogations.

	I/we/you/they	he/she/it
affirmation	I love him. Je l'aime.	He loves me. Il m'aime.
négation	You **don't** love him Tu ne l'aimes pas.	She **doesn't** love me. Elle ne m'aime pas.
interrogation	**Do** they love him? Est-ce qu'ils l'aiment ?	**Does** he love me? Est-ce qu'il m'aime ?

Don't et *doesn't* sont plus fréquents que *do not* et *does not*.

◗ Au prétérit ▸ 18 , on utilise *did* à toutes les personnes.

	I/he/she/it/we/you/they
affirmation	Jo married Luke. Jo a épousé Luke.
négation	Jo **didn't** marry Luke. Jo n'a pas épousé Luke.
interrogation	**Did** Jo marry Luke? Est-ce que Jo a épousé Luke ?

Didn't est plus fréquent que *did not*.

▶ *Do* auxiliaire peut aussi être utilisé pour **insister** sur ce que l'on dit. On parle de l'emploi « emphatique » de *do*. Dans ce cas, *do* est accentué à l'oral.

- I like your shirt.
  J'aime ta chemise.
- I told you.
  Je te l'avais dit.

- I <u>do</u> like your shirt.
  J'aime beaucoup ta chemise.
- I <u>did</u> tell you.
  Je te l'avais bien dit.

Training

1 Mets les phrases à la forme négative (-) ou interrogative (?).

1. We play tennis. (-)

....

2. They go to the cinema every Sunday. (?)

....

3. Frank prefers tea to coffee. (?)

....

4. Linda drives to work. (-)

....

Corrigés p. 340

10 Employer le verbe *do*

▶ On peut aussi employer *do* comme verbe ordinaire au sens de « **faire** ». Quand *do* signifie « faire », il se conjugue... avec *do*.

	I/we/you/they	he/she/it
affirmation	They **do** crosswords. Ils font des mots croisés.	He **does** crosswords. Il fait des mots croisés.
négation	They **don't do** crosswords. Ils ne font pas de mots croisés.	He **doesn't do** crosswords. Il ne fait pas de mots croisés.
interrogation	**Do** they **do** crosswords? Est-ce qu'ils font des mots croisés ?	**Does** he **do** crosswords? Est-ce qu'il fait des mots croisés ?

▶ Retiens ces expressions courantes avec *do* :
– *do an exam* (passer un examen),
– *do exercises* (faire des exercices),
– *do the housework* (faire le ménage),
– *do the washing-up* (faire la vaisselle)…

  • Did you do the washing-up?
    Tu as fait la vaisselle ?
  • They are doing their homework.
    Ils font leurs devoirs.

▶ Mais « faire » peut aussi se traduire par **make**. On dit ainsi :
– *make a cake* (faire un gâteau),
– *make the bed* (faire le lit),
– *make a mistake* (faire une erreur),
– *make a noise* (faire du bruit),
– *make some tea* (faire du thé).

Training

2 *Do* ou *make* ? Coche le verbe qui convient.

1. "What are you ❏ doing ❏ making?"

2. "I'm not ❏ doing ❏ making anything at the moment but I have to ❏ do ❏ make my homework for tomorrow. And you?"

3. "I'm ❏ doing ❏ making some tea. I'd like to drink a nice cup of tea before I ❏ do ❏ make my bed and ❏ do ❏ make the housework."

4. "OK. But, please, don't ❏ do ❏ make too much noise. I have to ❏ do ❏ make my maths exercises and I don't want to ❏ do ❏ make any mistakes!"

5. "I promise I'll be quiet… I know you are ❏ doing ❏ making your maths exam soon."

(Corrigés p. 340)

Le présent

« Il neige ici d'habitude. »

Le **présent simple** permet d'exprimer des actions régulières, une vérité générale, un goût. Le **présent en *be* + *-ing*** permet de dire que quelque chose se passe en ce moment.

11 Conjuguer le présent simple

◗ Le présent simple se forme avec le verbe seul.
Il faut seulement ajouter un **-s à la 3ᵉ personne du singulier** :
work → *it work**s***.

sujet	verbe
I/we/you/they	live/play/work
he/she/it	live**s**/play**s**/work**s**

◗ **Dans les négations**, on met ***don't*** ou ***doesn't*** entre le sujet et le verbe. *Don't* et *doesn't* sont plus fréquents que *do not* et *does not*.

sujet	don't/doesn't	verbe
I/we/you/they	**don't**	work
he/she/it	**doesn't**	work

🔵 Dans les **interrogations**, on commence par *do* ou ***does*** puis on ajoute le sujet et le verbe.

do/does	sujet	verbe
Do	I/we/you/they	work?
Does	he/she/it	work?

 CAREFUL!

Dans les négations et les interrogations, c'est l'auxiliaire ***does*** qui porte le **-s** de la 3e personne du singulier.

Does she work here? (Does she works here?)

12 Orthographe et prononciation du présent simple à la 3e personne du singulier

🔵 Attention à l'orthographe de certains verbes à la 3e personne du singulier :

Verbe en...	Term. de la 3e pers.	Exemples
-s, -x, -ch, -sh, -o	-es	he miss**es**, he fax**es**, he watch**es**, he wish**es**, he go**es**
consonne + -y	-ies	she stud**ies**, she carr**ies** (mais : she says, she plays)

🔵 Le **-s** de la 3e personne se prononce différemment selon la lettre ou le son qui précède :

/s/

Après /f/, /k/, /p/, /t/ :
laughs /lɑːfs/   thinks /θɪŋks/
sleeps /sliːps/   cuts /kʌts/

/ɪz/

Après /s/, /ʃ/, /z/, /dʒ/ :
kisses /ˈkɪsɪz/   catches /ˈkætʃɪz/
buzzes /ˈbʌzɪz/   rages /ˈreɪdʒɪz/

/z/

-s

Dans tous les autres cas
(et donc après une voyelle) :
🔵 loves /lʌvz/   🔵 says /sez/
🔵 cares /keəz/   🔵 pays /peɪz/

13 Employer le présent simple

▶ On emploie le présent simple pour décrire des **actions régulières**. On le rencontre donc souvent avec les adverbes *always* (toujours), *never* (jamais), *sometimes* (parfois), *often* (souvent), *usually* (d'habitude).

- I **always** sleep on the train.
  Je dors toujours dans le train.
- My parents don't **usually** work on Saturday.
  En général, mes parents ne travaillent pas le samedi.

▶ On emploie aussi le présent simple pour décrire une situation (plus ou moins) **permanente**.

- I **live** in New Jersey but I **go** to school in New York.
  J'habite dans le New Jersey mais je vais à l'école à New York.

▶ On l'emploie pour exprimer une **vérité générale**.

- Cats **live** longer than mice.
  Les chats vivent plus longtemps que les souris.

▶ On l'emploie pour exprimer une **opinion**, une **volonté** ou un **goût**.

- I **think** they understand. [opinion]
  Je crois qu'ils comprennent.
- She **wants** a new video game. [volonté]
  Elle veut un nouveau jeu vidéo.
- I **like** sweets but I **prefer** cakes. [goût]
  J'aime bien les bonbons mais je préfère les gâteaux.

14 Autres emplois du présent simple

▶ On raconte parfois les histoires au présent simple.

- A bear **walks** into a bar, **orders** some honey and then...
  Un ours entre dans un bar, commande du miel et ensuite...

▶ On trouve aussi le présent simple dans les titres de journaux.

- Mayor **opens** new school.
  Le maire inaugure la nouvelle école.

When + présent ▶ 57

GRAMMAIRE • LE VERBE

Training

1 Fais des phrases au présent simple à l'aide des éléments proposés à la forme affirmative (+), négative (–) ou interrogative (?) selon le cas.

1. + / my sister / hate / green beans

....

2. – / she / like / vegetables

....

3. ? / what / you / think

....

4. – / I / get up / usually / early / at weekends

....

5. + / my parents / go / often / to London

....

6. ? / Tom and Anna / live / there

....

Corrigés p. 340

15 Conjuguer le présent en *be* + *-ing*

◗ Le présent en *be* + *-ing* se forme avec *be* au présent suivi du verbe + *-ing* : *work* → *I'm working*.

	I	he/she/it	we/you/they
affirmation	I'm working I am working	she's working she is working	we're working we are working
négation	I'm not working I am not working	he isn't / he is not working	they aren't / they are not working
interrogation	Am I working?	Is he working?	Are they working?

◗ À la forme négative, on rencontre aussi *'re not* à la place de *aren't* et *'s not* à la place de *isn't*.

16 Orthographe du présent en *be* + *-ing*

L'ajout de *-ing* à la fin du verbe entraîne parfois une modification orthographique :

Verbe en...	Formation du présent en *-ing*	Exemples
-e	*-ǥing*	come → **com**ing, drive → **dri**ving, make → **mak**ing
-ie	*-ying*	lie → **ly**ing, die → **dy**ing
consonne + voyelle + consonne	on double la consonne finale si la syllabe est accentuée	win → wi**nn**ing, stop → sto**pp**ing, prefer → prefe**rr**ing, begin → begi**nn**ing mais : re<u>mem</u>ber → remembering, <u>vi</u>sit → visiting

17 Employer le présent en *be* + *-ing*

◗ On emploie le présent en *be* + *-ing* pour dire qu'une action ou un fait est **en cours au moment où on parle**.

    • "What **are** you **doing**, Sam?" "I**'m writing** an essay."
    « Qu'est-ce que tu fais, Sam ? – Je suis en train d'écrire une rédaction. »

◗ Le présent en *be* + *-ing* s'utilise aussi pour parler de l'avenir .

    • Tomorrow is Saturday. So, I**'m not going** to school!
    On est samedi demain. Donc, je ne vais pas à l'école !

⚠ CAREFUL!

Certains verbes, qui expriment un goût, une opinion, un savoir, une volonté, ne s'emploient presque jamais avec *be* + *-ing* :

agree (être d'accord)	remember (se souvenir)
believe (croire)	seem (sembler)
hate (détester)	think (penser)
know (savoir)	understand (comprendre)
like, love (aimer)	want (vouloir)
prefer (préférer)	wish (souhaiter)

I **think** they **understand**. (~~I'm thinking they're understanding.~~)
Je crois qu'ils comprennent.

B1

▶ Parfois, on emploie le présent en *be + -ing* pour dire que quelque chose est temporaire.

> ◦ I'm **taking** the bus to school this week, because my bike is broken.
> Je vais à l'école en bus cette semaine parce que mon vélo est cassé.

▶ Certains verbes changent de sens selon qu'ils sont au présent simple ou en *be + -ing*.

> ◦ I **think** I know them.
> Je crois que je les connais. [*think* : croire]
> ◦ What **are** you **thinking**, Martin ?
> À quoi penses-tu, Martin ? [*think* : penser à, réfléchir]

Training

2 Emploie le présent simple ou le présent en *be + -ing*.

1. What.....................you.....................(do) here? Your parents ....(wait) for you at the cafeteria.

2. "What.....................you.....................(do) for a living?" "I.................(work) as an accountant, but right now I.................(enjoy) a nice cup of tea and I....................(not / wish) to be disturbed."

3. ".................you....................(understand) what I...................(tell) you right now?" "Of course I do! And I....................(agree) with you!"

4. Listen! He....................(play) the piano. He....................(play) very well for his age!"

> Corrigés p. 340

« Je suis en train d'écrire une rédaction. »

Le prétérit

Le **prétérit simple** est le temps le plus employé pour parler du passé. C'est le temps du récit. Il signale une rupture avec le présent. Avec le **prétérit en *be* + -*ing***, on parle d'une action en cours à un moment du passé.

18 Conjuguer le prétérit simple

▶ Le prétérit simple se forme en ajoutant **-*ed*** à **toutes les personnes** pour les verbes réguliers : *work* → *I work**ed***.

sujet	verbe
I/he/she/it/we/you/they	visit**ed**/play**ed**/work**ed**

▶ Si le verbe se termine par **-*e***, on ajoute seulement **-*d*** : *like* → *lik**ed***.

▶ Si on a « consonne + ***y*** », ***y*** devient **-*i*** : *cry* → *cri**ed***.

⚠ **CAREFUL!**

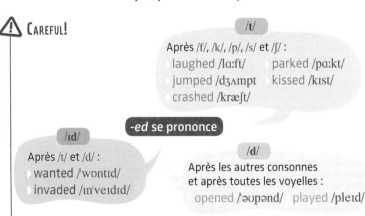

-*ed* se prononce

/t/
Après /f/, /k/, /p/, /s/ et /ʃ/ :
laughed /lɑːft/   parked /pɑːkt/
jumped /dʒʌmpt/   kissed /kɪst/
crashed /kræʃt/

/ɪd/
Après /t/ et /d/ :
wanted /wɒntɪd/
invaded /ɪnˈveɪdɪd/

/d/
Après les autres consonnes et après toutes les voyelles :
opened /ˈəʊpənd/   played /pleɪd/

Attention : *said* se prononce /sed/ et non /seɪd/.

▶ Certains prétérits sont **irréguliers** : *see* (infinitif) → ***saw*** (prétérit). Dans les tableaux des verbes irréguliers ▶ 314, le prétérit est donné dans la 2ᵉ colonne.

GRAMMAIRE • LE VERBE

● Dans les **négations**, on met *didn't* entre le sujet et le verbe. *Didn't* est plus fréquent que *did not*.

sujet	didn't	verbe
I/he/she/it/we/you/they	didn't	work

● Dans les **interrogations**, on commence par *did* puis on ajoute le sujet et le verbe.

did	sujet	verbe
Did	I/he/she/it/we/you/they	work?

 CAREFUL!

On emploie *didn't* dans les négations et *did* dans les interrogations pour tous les verbes, réguliers et irréguliers. Attention à **ne pas conjuguer le verbe après** *didn't* **ou** *did*.

They went...   They didn't **go**...

They worked.   Did they **work**? (Did they work~~ed~~?)

19 Employer le prétérit simple

● On utilise le prétérit simple pour décrire un fait ou une action appartenant au passé. Ce fait (ou cette action) est **coupé du présent**.

- My granddad **loved** sport when he **was** young.
  Mon grand-père adorait le sport quand il était jeune.

● Le prétérit simple est le temps du **récit** au passé. Il est souvent employé avec une **date** ou un **moment temporel précis**.

- William the Conqueror **defeated** the Anglo-Saxons in 1066 and **invaded** England. He **became** the first Norman King of England.
  Guillaume le Conquérant a battu les Anglo-Saxons en 1066 et a envahi l'Angleterre. Il est devenu le premier roi d'Angleterre normand.

- They **went** to Scotland five years ago.
  Ils sont allés en Écosse il y a cinq ans.

20 Le prétérit simple avec *ago*

▶ « Durée + *ago* » se traduit par « il y a + durée ».

four years **ago**
il y a quatre ans

a long time **ago**
il y a longtemps

⚠ CAREFUL!

Il ne faut pas confondre « il y a + durée » (*ago*) et « il y a quelque chose ou quelqu'un » (*there is, there are*) ▶ 3 .

I saw them in New York six weeks **ago**.
Je les ai vus à New York il y a six semaines.

There were many people.
Il y avait beaucoup de monde.

▶ *Ago* est toujours accompagné du prétérit. Il ne faut jamais employer le *present perfect* avec *ago* !

• I **talked** to Robin two weeks **ago**.
(I ~~have talked~~ to Robin two weeks ago.)
J'ai parlé à Robin il y a deux semaines.

▶ La question correspondante commence par **how long ago** (il y a combien de temps ?).

• How long ago **did** you **talk** to him?
Il y a combien de temps que tu lui as parlé ?

21 Le prétérit simple avec *for* + durée

« *For* + durée » employé avec le prétérit se traduit par « pendant ». La question correspondante commence par **how long** (combien de temps ?).

• "How long **did** you **live** in Chicago?"
"We **lived** there **for** eight years."
« Combien de temps avez-vous vécu à Chicago ?
– Nous y avons vécu pendant huit ans. »

Training

1 Complète ces phrases en conjuguant le verbe entre parenthèses au prétérit simple.

1. Leila .... (say) she .... (not / like) music.

2. How long .... you .... (live) in York?

3. I .... (live) there for 2 years and then .... (move) to Bath.

4. When they .... (be) young, they .... (not / go) on holiday in the summer. They .... (stay) at home.

5. We .... (go) to Los Angeles last month and we .... (love) it.

> Corrigés p. 340

22 Le prétérit simple avec *if* et *wish*

Après *if* et *wish*, le prétérit ne renvoie pas au passé. Il décrit une **situation hypothétique**.

▶ « *If* + prétérit » exprime une condition et correspond à « si + imparfait ».

• We would help you if we **were** with you.
On t'aiderait si on était avec toi.

• If you **tried** again you would succeed.
Si tu essayais à nouveau, tu réussirais.

▶ « *What if*... + prétérit » exprime une suggestion (Et si…).

• **What if** you **talked** to your parents?
Et si tu parlais à tes parents ?

▶ « *If only*... + prétérit » (Si seulement…) et « *wish* + prétérit » (souhaiter que) expriment un souhait. Mais on peut aussi traduire par « regretter + verbe négatif ».

• If only **I had** more time!
Si seulement j'avais plus de temps ! [Je regrette de ne pas avoir plus de temps.]

• I wish you **were** here.
J'aimerais que tu sois là. [Je regrette que tu ne sois pas là.]

25

On peut employer *were* à la place de *was* après *if* et *wish*.

- If I **were** you, I wouldn't go.
  Si j'étais toi, je n'irais pas.
- I wish I **were** rich. (I wish I was rich.)
  J'aimerais être riche.

23 *Used to* + verbe

◗ « *Used to* + verbe » décrit des habitudes ou des faits passés. On le traduit souvent par « avant + imparfait ».

- We **used to** work here. Now we're retired. [habitude passée]
  On travaillait ici avant. Maintenant, on est à la retraite.

◗ À la forme négative, on emploie *didn't use to*.

- I **used to** be rich, but I **didn't use to** be happy. [fait passé]
  Avant j'étais riche, mais je n'étais pas heureux.

24 Conjuguer le prétérit en *be* + *-ing*

Le prétérit en *be* + *-ing* se forme avec *be* au prétérit ▸1 suivi du verbe + *-ing* : work → I **was** work**ing**.

	I/he/she/it	*we/you/they*
affirmation	I **was** working	we **were** working
négation	he **wasn't** working	they **weren't** working
	he **was** not working	they **were not** working
interrogation	**Was** she working?	**Were** you working?

25 Employer le prétérit en *be* + *-ing*

◗ On emploie le prétérit en *be* + *-ing* pour dire qu'une action était **en cours** à un moment du passé. Le prétérit en *be* + *-ing* se traduit par l'imparfait.

- "Who **were** you **talking** to?" "I **was chatting** with Jo."
  « À qui parlais-tu ? – Je bavardais avec Jo. »

GRAMMAIRE • LE VERBE

◗ Quand on trouve les deux prétérits dans une même phrase, le prétérit en *be* + *-ing* décrit une action plus longue que le prétérit simple.

- I **was downloading** a cartoon when my mother **arrived**.
  J'étais en train de télécharger un dessin animé quand ma mère est arrivée.

- I **was taking** a shower when someone **cut off** the water.
  J'étais en train de prendre une douche quand quelqu'un a coupé l'eau.

Training

2 Prétérit simple ou *be* + *-ing* ? Coche la forme qui convient.

1. I ❏ saw ❏ was seeing this film last weekend.

2. How long ago ❏ did they go ❏ were they going to New Zealand?

3. I ❏ watched ❏ was watching TV when my mother ❏ arrived ❏ was arriving.

4. When the postman ❏ rang ❏ was ringing at the door, I ❏ had ❏ was having breakfast.

Corrigés p. 341

« J'étais en train de prendre une douche quand quelqu'un a coupé l'eau. »

Le *present perfect*

« J'ai perdu ma clé. Je ne peux pas rentrer chez moi maintenant. »

Le *present perfect* exprime un lien entre le passé et le présent.

26 Conjuguer le *present perfect* simple

◗ Le *present perfect* simple se forme avec *have* au présent suivi du participe passé. Pour former un participe passé, on ajoute *-ed* aux verbes réguliers : *work* → *I have worked*.

	I/we/you/they	he/she/it
affirmation	I've work**ed** I **have** work**ed**	she's work**ed** she **has** work**ed**
négation	you **haven't** work**ed** you **have not** work**ed**	he **hasn't** work**ed** he **has not** work**ed**
interrogation	**Have** they work**ed**?	**Has** it work**ed**?

◗ Certains participes passés sont **irréguliers** : *see* (infinitif) → *seen* (participe passé). Dans les tableaux des verbes irréguliers `▶ 314`, le participe passé est donné dans la 3e colonne.

◗ *'s* et *'ve* sont plus fréquents que *has* et *have*. **Hasn't** (ou *'s not*) et **haven't** (ou *'ve not*) sont plus fréquents que *has not* et *have not*.

⚠ CAREFUL!

Attention : **'s** peut correspondre à **has** ou à **is**.

She**'s** worked hard. (She **has** worked hard.)
Elle a travaillé dur.

She**'s** working. (She **is** working.)
Elle est en train de travailler.

27 Employer le *present perfect* simple

▶ On emploie le *present perfect* pour parler d'un **résultat présent**.

• **I've lost** my keys. I can't go home now.
J'ai perdu mes clés. Je ne peux pas rentrer chez moi maintenant.
[Résultat présent : maintenant je ne peux pas rentrer chez moi.]

▶ Il ne faut pas confondre **have been** (on est allé quelque part et on est revenu) et **have gone** (on est allé quelque part et on n'est pas encore revenu).

• "Hi Jim. You're tanned." "I**'ve been** to Morocco."
« Salut, Jim. Tu es bronzé. – Je suis allé au Maroc. »

• "Where is Jim?" "He**'s gone** to Morocco. So, he's not here."
« Où est Jim ? – Il est allé au Maroc. Donc il n'est pas là. »

28 Le *present perfect* avec *for* et *since* : « depuis »

▶ Après un *present perfect*, *for* et *since* se traduisent tous deux par « depuis ». *For* introduit une durée, chiffrée le plus souvent. *Since* introduit un point de départ.

for + durée chiffrée	*since* + point de départ
for fifty minutes	**since** this morning
depuis cinquante minutes	depuis ce matin
for eight hours	**since** yesterday
depuis huit heures	depuis hier
for three years	**since** 5 o'clock
depuis trois ans	depuis cinq heures
	[depuis qu'il est cinq heures]

🔹 Le *present perfect* suivi de *for* ou *since* se traduit par un **présent**.

   • **I've been** here for four weeks.
   Je **suis** ici depuis quatre semaines.

   • **I've been** here since noon.
   Je **suis** ici depuis midi.

   • **We've lived** in Ireland for ten years, that is, since our marriage.
   Nous **habitons** en Irlande depuis dix ans, c'est-à-dire depuis notre mariage.

 Careful!

Le *present perfect* suivi de *for* se traduit par « depuis + un présent ».

   I **have known** them for five years.
   Je les **connais** depuis cinq ans.

Le prétérit suivi de *for* se traduit par « pendant + un passé composé ».

   I **knew** them for five years.
   Je les **ai connus** pendant cinq ans.

🔹 « *For* + *present perfect* » peut aussi se traduire par « Cela fait... que ».

   • My parents **have lived** here **for** twenty years.
   Cela fait vingt ans que mes parents habitent ici.
   (Mes parents habitent ici depuis vingt ans.)

(Prétérit avec *for* ▸ 21)

29 Le *present perfect* avec *how long*

 🔹 *How long* employé avec le *present perfect* correspond à « depuis combien de temps ? + présent ».

   • How long **have** you had your mobile phone?
   Depuis combien de temps as-tu ton téléphone portable ?

🔹 En anglais familier, on trouve aussi « *since when* + présent » mais le ton est désapprobateur.

   • Since when do you smoke?
   Depuis quand tu fumes ?

30 Le *present perfect* avec *just* et *it's the first time*

B1

◗ Le *present perfect* employé avec *just* décrit un passé proche (venir de). En anglais américain, on emploie plutôt le prétérit.

> • We**'ve** just **talked** to your parents.
> (We just talked to your parents.)
> Nous venons de parler à tes parents.

◗ On emploie aussi le *present perfect* après *It's the first time...* (C'est la première fois que...). Le français emploie le présent dans ce cas.

> • It's the first time I**'ve failed**.
> C'est la première fois que j'échoue.

Training

1 **Complète ces phrases en utilisant le *present perfect*.**

1. I think Doug .... (lose) his keys.

2. I .... already .... (see) that film.

3. .... you .... (receive) my letter?

4. My cousin .... never .... (be) to London.

5. My brother .... just .... (pass) his exam.

6. We .... (live) here since I was born.

> Corrigés p. 341

31 *Present perfect* ou prétérit ?

◗ Il existe deux façons de parler d'un événement dans le passé : le prétérit et le *present perfect*.

◗ Avec le **prétérit**, on signale que l'événement est **coupé du présent**. Avec le *present perfect*, on signale que l'événement est **en lien avec le présent**. On s'intéresse au résultat présent.

En français, dans les deux cas, on emploie le passé composé.

- I **lost** my keys this morning. I **called** my parents and they **came** at once.
  J'ai perdu mes clés ce matin. J'ai appelé mes parents et ils sont venus tout de suite.
  [Logique de récit : on ne s'intéresse qu'aux événements.]

- I **have lost** my keys. I can't go home.
  J'ai perdu mes clés. Je ne peux pas rentrer chez moi.
  [Résultat présent : je ne peux pas rentrer chez moi.]

■ Quand on hésite entre le prétérit et le *present perfect*, il vaut mieux utiliser le prétérit car il y a moins de risque d'erreur !

■ Avec les adverbes *already* (déjà), *always* (toujours), *before* (avant), *ever* (à un moment quelconque), *never* (jamais), *not yet* (pas encore), *yet* (« déjà » dans les questions), on peut utiliser le *present perfect* ou le prétérit.

- I have **already** done my homework.
  J'ai déjà fait mes devoirs.

- Have you **ever** written poetry?
  As-tu déjà écrit de la poésie ?

- Have you eaten **yet**?
  Tu as déjà mangé ?

En anglais britannique, on préfère le *present perfect* avec ces adverbes. En anglais américain, on emploie plutôt le prétérit.

CAREFUL!

On n'emploie jamais le *present perfect* avec **une date ou un moment temporel précis**. Le prétérit est obligatoire dans ce cas.

I lost my keys **on January 1st/ yesterday / a week ago / when I went to the cinema**.

J'ai perdu mes clés le 1er janvier / hier / il y a une semaine / quand je suis allé au cinéma.

Quand on pose une question avec *when*, on emploie donc le prétérit. On répond aussi avec le prétérit.

"When **did** she **arrive**?" "She **arrived** yesterday."
(When has she arrived?)

« Quand est-elle arrivée ? – Elle est arrivée hier. »

32 **Conjuguer le *present perfect* en *be + -ing***

Le *present perfect* en *be + -ing* se forme à l'aide de *have* au présent suivi de *been* et du verbe + *-ing* : *work* → they **have been** work**ing**.

	I/we/you/they	he/she/it
affirmation	I've **been** work**ing** I **have been** work**ing**	he's **been** work**ing** he **has been** work**ing**
négation	we **haven't been** work**ing** we **have not been** work**ing**	she **hasn't been** work**ing** she **has not been** work**ing**
interrogation	**Have** you **been** work**ing**?	**Has** he **been** work**ing**?

33 **Employer le *present perfect* en *be + -ing***

▶ On emploie le *present perfect* en *be + -ing* pour dire qu'on voit encore des **traces** d'une activité passée.

  • It's **been snowing**. Il a neigé.
    [Traces présentes : de la neige sur le sol.]

▶ Cette forme peut aussi être utilisée pour justifier un **état** présent.

  • "Your hands are dirty." "I**'ve been repairing** my bike."
    « Tes mains sont sales. – J'ai réparé mon vélo. »

▶ Avec le *present perfect* en *be + -ing*, on s'intéresse à une **activité**. Avec le *present perfect* simple, on s'intéresse à un **résultat**.

  • I've been repairing my bike.
    [Activité passée : réparer mon vélo. État présent : mes mains sont sales. Mais mon vélo n'est peut-être pas complètement réparé !]

  • I've repaired my bike.
    [Résultat présent : j'ai réparé mon vélo et maintenant il est réparé.]

34 **Le *present perfect* en *be + -ing* avec *for* et *since***

▶ Le *present perfect* en *be + -ing* suivi de *for* ou *since* se traduit par un présent. ▶ 28 .

  • I'm 15. I've been learning English **for** seven years.
    J'ai quinze ans. J'apprends l'anglais depuis sept ans.

  • I'm 15. I've been learning English **since** the age of 8.
    J'ai quinze ans. J'apprends l'anglais depuis l'âge de huit ans.

● Avec *for* et *since*, d'une manière générale, on préfère employer le *present perfect* en *be + -ing* plutôt que le *present perfect* simple.

  • I**'ve been revising** my maths **for** forty minutes.
    Je révise mes maths depuis quarante minutes.

● Mais les verbes qui s'emploient peu avec *be + -ing* ▶17 ne s'emploient pas non plus avec le *present perfect* en *be + -ing*.

  • I**'ve known** them for ten years. (~~I've been knowing them~~)
    Je les connais depuis dix ans.

● « *How long + present perfect* en *be + -ing* » correspond à « depuis combien de temps + présent ».

  • How long **have** you **been waiting**?
    Depuis combien de temps attendez-vous ?
    Ça fait combien de temps que vous attendez ?

Training

2 **Fais des phrases complètes à l'aide des éléments ci-dessous. Utilise le *present perfect be + -ing* et *for* ou *since*.**

1. It / rain / 9 o'clock this morning ....

2. My brother / cook / 2 hours ....

3. My grandparents / travel / 2 months ....

4. I work / I woke up ....

5. Tom / learn French / 2015. ....

3 **Complète les phrases en conjuguant le verbe au *present perfect* (simple ou en *be + -ing*) ou au prétérit.**

1. "The street is wet." "Yes, it ....(rain)!"

2. I ....(wait) for two hours! I'm going home!

3. We ....(go) to India three years ago.
   I ....(always/want) to go back.

4. Cory ....(know) the truth since the age of ten.

5. How long ....(you/work) for this firm?

Corrigés p. 341

34

Le *pluperfect*

« J'ai parlé à la directrice. » « Leslie m'a dit qu'elle avait parlé à la directrice ! »

Le *pluperfect* ou *past perfect* permet de parler d'un passé dans le passé. Il se traduit le plus souvent par un plus-que-parfait.

35 Conjuguer le *pluperfect* simple

▶ Pour former le *pluperfect*, c'est simple : on utilise **had** à chaque fois ! Puis on ajoute le participe passé. Pour former un participe passé, on ajoute *-ed* aux verbes réguliers : *work* → *I had worked*.

	I/he/she/it/we/you/they
affirmation	I**'d** worked I **had** worked
négation	she **hadn't** worked she **had not** worked
interrogation	**Had** you work**ed**?

▶ Certains participes passés sont irréguliers : *see* (infinitif) → *seen* (participe passé). Dans les tableaux des verbes irréguliers ▶ 314 , le participe passé est donné dans la 3ᵉ colonne.

▶ *'d* est plus fréquent que *had*, et *hadn't* que *had not*.

Employer le *pluperfect* simple

On emploie le *pluperfect* simple pour parler d'un événement passé antérieur à un autre événement passé. Le *pluperfect* simple se traduit par un **plus-que-parfait**.

- John phoned me at 5. He **had** already **called** my mother.
  John m'a téléphoné à cinq heures. Il avait déjà appelé ma mère.

- I didn't want to see that movie because I **had seen** it before.
  Je ne voulais pas voir ce film parce que je l'avais déjà vu.

« *If* + *pluperfect* » s'emploie comme « si + plus-que-parfait » pour parler de quelque chose qui ne s'est pas passé.

- If I **had invited** my schoolmates, the party would have been different.
  Si j'avais invité mes copains de classe, la fête aurait été différente.

- If she **had known**, she would have cancelled the meeting.
  Si elle avait su, elle aurait annulé la réunion.

Wish avec le *pluperfect* exprime un regret (« si seulement » ou « regretter »).

- I wish I **hadn't eaten** so much.
  Si seulement je n'avais pas autant mangé !
  [Je regrette d'avoir autant mangé.]

⚠ **CAREFUL!**

On peut traduire *wish* à l'aide de « regretter », mais attention à la traduction de ce qui suit *wish*. La forme négative anglaise se traduit par la forme affirmative, et inversement :

had**n't** eaten so much → « avoir autant mangé ».

I wish you were here. Je regrette que tu ne sois pas là.

Le *pluperfect* employé avec *just* se traduit par « venir de » à l'imparfait suivi de l'infinitif ▶ 30 .

- I **had just talked** to their parents.
  Je venais de parler à leurs parents.

Le *pluperfect* s'emploie aussi pour rapporter les paroles de quelqu'un, comme le **plus-que-parfait** en français.

> • She said that she **had wanted** to help them.
> Elle a dit qu'elle avait voulu les aider.

Training

1 Complète les phrases suivantes en utilisant le *pluperfect*.

1. Fiona didn't want to see that film. She .... (already/see) it.

2. The street was wet. It .... (rain) all afternoon.

3. If I .... (know) I wouldn't have come.

4. Sammy said they .... (not / visit) the city but that they .... (have) dinner in a nice restaurant.

(Corrigés p. 341)

37 Le *pluperfect* en *be* + *-ing*

▶ Le *pluperfect* en *be* + *-ing* est facile à former ; on emploie **had been** suivi du verbe + **-ing** à toutes les personnes : *work* → **had been** work**ing**.

▶ Employé avec *for* ou *since* (depuis) ou avec *how long* (depuis combien de temps ?), il signale qu'une action ou un état commencé dans le passé avait continué dans le passé. Il se traduit par un **imparfait**.

> • We were tired because we **had been playing** tennis for fifty minutes.
> On était fatigué car on **jouait** au tennis depuis cinquante minutes.

> • We were tired because we **had been playing** tennis since noon.
> On était fatigué car on **jouait** au tennis depuis midi.

> • How long **had** they **been playing** tennis?
> Depuis combien de temps **jouaient**-ils au tennis ?

(For et since ▶ 28 et 34)

CAREFUL!

Certains verbes comme *know* (savoir/connaître), *like* (aimer) ou *remember* (se souvenir) ne s'emploient presque jamais avec *be + -ing* ▶ 17 .

> I **had known** them **for** fifteen years when they finally gave me their phone number.
>
> Je les **connaissais depuis** quinze ans quand ils m'ont enfin donné leur numéro de téléphone.

 **Training**

2 Coche la bonne traduction.

1. My parents had lived in London for ten years when they decided to move to Wales.

❏ Mes parents ont vécu à Londres dix ans puis ont décidé de déménager au pays de Galles.

❏ Mes parents vivaient à Londres depuis dix ans quand ils ont décidé de déménager au pays de Galles.

2. He had known her for two years when he asked her to marry him.

❏ Il la connaissait depuis deux ans quand il l'a demandée en mariage.

❏ Il l'avait connue deux ans plus tôt et l'avait demandée en mariage.

3. How long had it been raining when you stopped swimming ?

❏ Depuis combien de temps pleuvait-il quand tu as arrêté de nager ?

❏ Depuis combien de temps avait-il plu quand tu nageais ?

4. I had just called Lou when her boyfriend arrived.

❏ J'avais appelé Lou et son petit ami était arrivé.

❏ Je venais d'appeler Lou quand son petit ami est arrivé.

5. We wish he had told us the truth.

❏ Si seulement il nous avait dit la vérité.

❏ Nous espérons qu'il nous dira la vérité.

Corrigés p. 341

Le passif

« Ma maison est nettoyée tous les jours. »

Le passif (ou voix passive) se construit en anglais comme en français. Il s'emploie surtout quand on ne s'intéresse pas à l'auteur de l'action.

38 Former le passif

◗ Pour former le passif, on utilise « *be* conjugué + participe passé », comme en français « être + participe passé ». Pour former le participe passé, on ajoute *-ed* aux verbes réguliers.

	sujet	*be* conjugué	participe passé
présent simple	The show	is	cancelled.
	Le spectacle est annulé.		
prétérit simple	The actors	were	booed.
	Les acteurs ont été hués.		
present perfect	My boyfriend	has been	invited.
	Mon petit ami a été invité.		

◗ Certains participes passés sont irréguliers : see → seen.
Dans les tableaux des verbes irréguliers ▶ 314 , le participe passé est donné dans la 3ᵉ colonne.

◗ Quand on compare une phrase active et une phrase passive, on se rend compte que le COD de la phrase active correspond au sujet de la phrase passive.

- We posted the letters yesterday.
  Nous avons posté les lettres hier.
- The letters **were posted** yesterday.
  Les lettres ont été postées hier.

◗ Le passif peut se combiner avec **be + -ing** pour dire qu'une action est (ou était) en cours. On ajoute **being** devant le participe passé.

	sujet	**be** conjugué	**being**	participe passé
présent en **be + -ing**	My bike	is	being	repaired.
		Mon vélo est en train d'être réparé.		
prétérit en **be + -ing**	I	was	being	watched.
		J'étais observé.		

◗ Les modaux peuvent être suivis d'un passif : on a alors « modal + be + participe passé ».

- It **can be done** quickly.
  Cela peut être fait rapidement. (On peut le faire rapidement.)
- I think they **will be punished**.
  Je crois qu'ils seront punis. (Je crois qu'on les punira.)

Training

1 **Souligne les verbes à la voix passive dans ce texte.**

Jack – "Rex looks so sad."

His mother – "That's because he's being punished."

Jack – "But that's unfair! He was already punished yesterday."

His mother – "Yes, I punished him yesterday because he stole a chicken wing."

Jack – "I hope he'll never be punished again!"

Corrigés p. 341

39 Employer le passif

▶ On emploie souvent le passif quand on ne peut pas mentionner l'agent, celui qui agit.

> The bikes have been removed.
> Les vélos ont été enlevés.
> [Je ne sais pas qui les a enlevés.]

▶ Parfois, on ne mentionne pas l'agent parce qu'il n'est pas important ou parce qu'il est évident ou parce qu'il n'y en a pas vraiment.

> Our brand is known all over the world.
> Notre marque est connue dans le monde entier.
> [Elle est connue du public, c'est évident !]

> Some tourists were injured in the storm.
> Quelques touristes ont été blessés dans la tempête.
> [Il n'y a pas vraiment d'agent ici.]

▶ Logiquement, l'agent n'est mentionné que s'il est important. Il est alors introduit par *by*.

> The series was financed **by** the BBC.
> La série a été financée par la BBC.
> [C'est la BBC qui est mise en valeur ici.]

40 Différences entre actif et passif

▶ Habituellement, à la voix active, on parle de qui fait quoi. Ce n'est pas le cas au passif, car on ne s'intéresse pas à l'agent.

> John is watching the match.
> John regarde le match.
> [Actif.]

> The match has been cancelled.
> Le match a été annulé.
> [Passif : peu importe qui l'a annulé.]

▶ Le passif est plus fréquent en anglais ; en français, on utilise souvent « on » à la place de la voix passive.

> The bikes have been removed.
> On a enlevé les vélos. (Les vélos ont été enlevés.)

> The letters were posted yesterday.
> On a posté les lettres hier. (Les lettres ont été postées hier.)

41 Le passif des verbes à deux compléments

● Certains verbes anglais ont deux compléments et deux constructions possibles. C'est notamment le cas de :

buy (acheter)	show (montrer)
bring (apporter)	teach (enseigner)
give (donner)	tell (dire)
send (envoyer)	write (écrire)

● Ces verbes peuvent se construire, comme en français, avec une préposition.

> • Liz gave **a key** to Fred.
> [*give* + **objet** + *to* + <u>bénéficiaire</u>]
> Liz a donné une clé à Fred.

● Mais le plus souvent, on nomme d'abord la personne à qui on donne l'objet. Dans ce cas, il n'y a pas de préposition.

> • Liz gave <u>Fred</u> **a key**.
> [*give* + <u>bénéficiaire</u> + **objet**]
> Liz a donné une clé à Fred.

 CAREFUL!

Quand l'objet est *it* ou *them*, l'ordre est « objet + *to* + personne ».

Sash sent Pete four postcards. / Sash sent four postcards to Pete.
Sash a envoyé quatre cartes postales à Pete.

Sash sent **them to** Pete. (Sash sent ~~Pete them~~.)
Sash les a envoyées à Pete.

● Au passif, ces verbes ont également deux constructions.

actif	passif
Liz gave **a key** to Fred.	**A key** was given to Fred.
Liz gave **Fred** a key.	**Fred** was given a key.
Liz a donné une clé à Fred.	Une clé a été donnée à Fred.
	On a donné une clé à Fred.

Training

2 Construis un passif à partir des phrases suivantes.
Attention au temps employé et aux verbes irréguliers.

Somebody has borrowed that book.
→ *That book has been borrowed.* ....

Somebody borrowed that book yesterday.
→ *That book was borrowed yesterday.* ....

1. Somebody has closed the door.

....

2. Somebody has stolen the famous painting.

....

3. Somebody broke our vase yesterday.

....

4. Somebody ate the whole cake yesterday.

....

5. Somebody will scan this letter soon.

....

(Corrigés p. 341)

Qu'est-ce qu'un modal ?

« Tu devrais rester au lit. »

Avec un modal (ou « auxiliaire modal »), on n'énonce pas des faits. On présente les faits selon un **mode** particulier.

possible	I can do it.	Je peux le faire.
probable	We may go to Toronto.	Il est possible qu'on aille à Toronto.
nécessaire	They must go now.	Ils doivent partir maintenant.
conseil	You should stay in bed.	Tu devrais rester au lit.

42 Caractéristiques des modaux

◗ Les modaux ne prennent **pas de -s** à la 3ᵉ personne du singulier. Un modal ne change donc pas de forme quel que soit le sujet.

- I **can** do this exercise. So, you **can** do it too. And Laura **can** do it too!
  Je peux faire cet exercice. Donc, tu peux le faire aussi.
  Et Laura peut le faire aussi !

◗ À la **forme négative**, on ajoute *not* directement après les modaux (parce que ce sont des auxiliaires).

- They must work. → They must **not** work.
  Ils doivent travailler. → Ils ne doivent pas travailler.
- You may go. → You may **not** go.
  Vous pouvez partir. → Vous ne pouvez pas partir.

◗ Quatre modaux sont très souvent contractés à la forme négative.

cannot → **can't**		will not → **won't**
could not → **couldn't**		must not → **mustn't**

Careful!

Can + not s'écrit en un seul mot : ***cannot***.

I **cannot** lie to them.
Je ne peux pas leur mentir.

▶ À la **forme interrogative**, on utilise l'ordre « modal + sujet ».

* **May** I use your phone?
  Est-ce que je peux utiliser votre téléphone ?

▶ Quatre modaux ont un prétérit :

may → **might**	can → **could**
will → **would**	shall → **should**

▶ Un modal **est suivi de la base verbale**, jamais de *to*, ni de *-ing* :

* We **can** help you. (We can ~~to~~ help you.)
  On peut t'aider.

▶ Un modal n'est **jamais suivi d'un autre modal**. Par exemple, il est impossible de traduire « je pourrai le faire » par ~~will + can~~ ▶ 46.
Il faut employer dans ce cas *be able to* à la place de *can*.

* I'll **be able** to do it.
  Je pourrai le faire.

 **Training**

1 Souligne les modaux, quand il y en a, dans les phrases suivantes.

1. Sorry, I must leave now.
2. His girlfriend has got long curly hair.
3. They won't come with me. I'll have to go alone.
4. Can you help me please ?
5. It's late. You should go to bed.
6. He doesn't speak Spanish very well.

Corrigés p. 341

Can, could et be able to

« Je peux le faire. » « Je n'y arrive pas. »

43 Can : « c'est possible », « c'est permis »

On emploie « *can* + verbe » pour dire que quelque chose est **possible** ou **permis**. Plus précisément, avec *can*, on peut :

🔹 Dire que l'on peut, que l'on sait faire quelque chose.

> • I **can** help you do your homework.
> Je peux t'aider à faire tes devoirs.

> • **Can** you really read Chinese?
> Tu sais vraiment lire le chinois ?

🔹 Demander ou donner une permission.

> • **Can** I sit here?
> Je peux m'asseoir ici ?

> • You **can** take my cell phone, if you want.
> Tu peux prendre mon téléphone portable, si tu veux.

44 Can't : « c'est impossible », « c'est interdit »

On emploie « *can't* + verbe » pour dire que quelque chose n'est pas possible ou n'est pas permis.

> • Dogs **can't** fly!
> Les chiens ne peuvent pas voler !

> • You **can't** sit here. It's for my cat.
> Tu ne peux pas t'asseoir ici. C'est pour mon chat.

Careful!

On emploie souvent *can* ou *can't* avec les verbes de perception : *see* (voir), *hear* (entendre), *smell* (sentir), *feel* (sentir) et *taste* (goûter). Dans ce cas, on n'utilise pas « pouvoir » en français.

I **can** hear birds but I **can't** see them.
J'entends des oiseaux, mais je ne les vois pas.

1 Formule les autorisations ou les interdictions indiquées par ces panneaux.

1. .... 3. ....
....

2. .... 4. ....
....

Corrigés p. 342

45 *Could* : « ce serait possible »

🔴 On emploie « *could* + verbe » pour dire que **quelque chose pourrait se faire**. Dans ce cas, *could* se traduit par « pouvoir » au conditionnel (pourrais, pourrait...). À la forme négative, on utilise *couldn't*. On ne prononce pas le *l* dans *could* : /kʊd/.

   • We **could** go for a walk in the park.
     On pourrait aller se promener dans le parc.
   • I **couldn't** do that job.
     Je ne pourrais pas faire ce métier.

🔴 « *Could* + verbe » s'emploie aussi pour demander une **permission**.

   • **Could** you lend me your earphones?
     Tu pourrais me prêter tes écouteurs ?

On emploie « *could* + verbe » pour dire que quelque chose est peut-être vrai. Dans ce cas, on peut employer *might* à la place de *could*.

- She **could** be our new head.
  (She **might** be our new head.)
  Elle est peut-être notre nouvelle directrice.

- Take an umbrella. It **could** rain this afternoon.
  (It **might** rain this afternoon.)
  Prends un parapluie. Il pourrait pleuvoir cet après-midi.

On emploie « *could have* + participe passé » pour dire qu'on **aurait pu** faire quelque chose.

- You **could have** answered the phone.
  Tu aurais pu répondre au téléphone.

Training

2 Utilise le modal qui convient : *can*, *can't* ou *could*.

Lee – "...........you swim, Sam?"

Sam – "Of course, I .... And you, Lee?"

Lee – "No, I ...."

Sam – "What? You ....swim?"

Lee – "No, I ....swim. So what?"

Sam – "If you ....swim, we would go to the swimming pool."

Lee – "But I don't have a swimsuit [un maillot de bain]!"

Corrigés p. 342

46 Quand employer *be able to* ?

Il est impossible d'utiliser *can* après *will* car on ne peut pas avoir « modal + modal ». Pour dire que quelqu'un **pourra faire quelque chose**, on emploie « *will be able to* + verbe ».

- In the future human beings **will be able to** live to 150 years.
  À l'avenir, les êtres humains pourront vivre jusqu'à 150 ans.

🔵 On emploie *be able to* au prétérit (*was/were able to*) pour parler d'une capacité dans le passé. Si la capacité est **ponctuelle**, *could* n'est pas possible.

> • **Were** you **able to** log on this morning?
> Vous avez pu vous connecter ce matin ?

47 *Could* et le passé

🔵 Pour une capacité **permanente** au passé, on peut employer soit *could* soit *was/were able to*.

> • My grandpa **could** read when he was five.
> (My grandpa **was able to** read when he was five.)
> Mon grand-père savait lire à l'âge de cinq ans.

🔵 Devant un verbe de perception : *see* (voir), *hear* (entendre), *smell* (sentir), *feel* (sentir) et *taste* (goûter), on emploie *could* pour parler du passé.

> • I **could** hear them but I **couldn't** see them.
> Je les entendais, mais je ne les voyais pas.

Training 🧠

3 Mets ces phrases au passé ou au futur en utilisant *be able to* et en t'aidant de l'amorce proposée.

1. Lana can play the piano very well.
When Lana was young, she ....

2. They can run very fast.
When they were at school, they ....

3. He can't get a job.
When he was in South Africa, he ....

4. I can go to bed early.
Tonight, I ....

5. We can't leave home.
Next weekend, we ....

> Corrigés p. 342

May, might et be allowed to

May et *might* expriment la permission ou la probabilité.

48 *May* : « c'est permis »

● On emploie « *may* /meɪ/ + verbe » pour donner une permission.

> • You **may** play with your video game but not for too long!
> Tu peux jouer avec ton jeu vidéo mais pas trop longtemps !

● La forme interrogative « *may* + sujet + verbe » permet de demander la permission.

> • **May** I borrow your dictionary, please?
> Est-ce que je peux emprunter ton dictionnaire ?

● La forme négative « *may not* + verbe » sert à formuler une interdiction (ce n'est pas permis).

> • You **may not** go out after 6.
> Tu n'as pas le droit de sortir après six heures.

⚠ CAREFUL!

Can est plus fréquent que *may* dans ces sens (▶ 43 et 44).

You **can** play with your video game but not for too long!
Can I borrow your dictionary, please?
You **can't** go out after 6.

49 *May* : « c'est probable »

● On emploie « *may* + verbe » pour dire que quelque chose est assez probable.

> • You **may** be right.
> Il est possible que tu aies raison. (Tu as peut-être raison.)
> • We **may** go to Florida for our holiday.
> Il est possible qu'on aille en Floride pour les vacances.

CAREFUL!

Il ne faut pas confondre *may be* (en deux mots : le modal + *be*) et *maybe*, l'adverbe qui signifie « peut-être ». Le sens est le même mais l'ordre des mots est différent.

Maybe you're right. (You **may be** right.)
Tu as peut-être raison.

🔹 Pour dire que quelque chose a pu se produire dans le passé, on emploie « *may have* + participe passé ».

  ○ You **may have** dropped your mobile in the car.
  Tu as peut-être laissé tomber ton portable dans la voiture.

50 *Might* : « ça se pourrait »

🔹 On emploie « *might* /maɪt/ + verbe » pour dire que quelque chose pourrait être vrai.

  ○ Who knows? We **might** win the lottery!
  Qui sait ? On pourrait gagner à la loterie !

🔹 Pour dire que quelque chose aurait pu être vrai dans le passé, on emploie « *might have* + participe passé ».

  ○ You fool! You might have killed yourself!
  Imbécile ! Tu aurais pu te tuer !

🔹 On peut employer *could* à la place de *might*.

  ○ Who knows? We could win the lottery!
  ○ You could have killed yourself!

🔹 Avec *might*, on est plus hésitant, moins sûr qu'avec *may*.

  ○ "They say they have the best restaurant in town and they may be right." "Well, they might be right, but I'm sure there are lots of restaurants that are as good."
  « Ils disent qu'ils ont le meilleur restaurant de la ville et il se peut qu'ils aient raison. – Enfin, il se pourrait qu'ils aient raison, mais je suis sûr qu'il y a plein de restaurants qui sont aussi bons. »

51 Quand employer *be allowed to* ?

May n'existe qu'au présent. On emploie « *be allowed to* + verbe » dans les autres cas.

▶ Pour parler d'une **permission passée** :
« *was/were allowed to* + verbe ».

- She **wasn't allowed** to go to Jane's birthday party.
  Elle n'a pas eu le droit d'aller à l'anniversaire de Jane.

▶ Pour parler d'une **permission future** : « *will be allowed to* + verbe ».

- Candidates **will be allowed** to use dictionaries.
  Les candidats pourront (auront le droit d') utiliser des dictionnaires.

Training

❶ Lis les phrases suivantes et dis si *may* exprime la permission ou la probabilité.

1. Lucy may be in her bedroom. ❑ Permission ❑ Probabilité

2. Lucy is in her bedroom but you may not disturb her.
❑ Permission ❑ Probabilité

3. You may not use your phones during the exam.
❑ Permission ❑ Probabilité

4. We may arrive late. ❑ Permission ❑ Probabilité

5. They might come with us. ❑ Permission ❑ Probabilité

6. I'm not allowed to go there with him.
❑ Permission ❑ Probabilité

❷ Associe chaque phrase à sa traduction.

1. They might be late: ....   **3.** They may be late: ....

2. They aren't allowed to be late: ....   **4.** They won't be late: ....

a. Ils sont peut-être en retard. **b.** Ils sont certainement en retard.

c. Ils pourraient être en retard. **d.** Ils n'ont pas le droit d'être en retard.

e. Ils seront en retard. **f.** Ils ne seront pas en retard.

Corrigés p. 342

Must et have to

On emploie *must* (/mʌst/ ou /məst/) pour exprimer **l'obligation** ou **la forte probabilité**. Dans les deux cas, *must* se traduit très souvent par « devoir ».

52 *Must* : « c'est obligé »

🔷 On emploie « *must* + verbe » pour exprimer l'**obligation**.

- He **must** get up at once.
  Il doit se lever tout de suite.

🔷 La forme négative est *must not* ou *mustn't* (plus fréquent). *Mustn't* exprime une obligation négative, une **interdiction**.

🔷 On ne prononce pas le premier *t* dans *mustn't* : /mʌsnt/.

- You **mustn't** tell your mum.
  Tu ne dois pas le dire à ta mère.

53 *Must* : « c'est très probable »

🔷 On peut aussi employer « *must* + verbe » pour parler d'une action ou d'un fait **très probable**.

- It is late. You **must** be exhausted.
  Il est tard. Tu dois être fatigué.
- It's midnight. The show **must** be over now.
  Il est minuit. Le spectacle doit être terminé maintenant.

B1 🔷 Pour dire que quelque chose est improbable, on utilise « *can't* + verbe ».

- The lights are out. They **can't** be home.
  Il n'y a pas de lumière. Ils ne doivent pas être rentrés.

🔷 Pour parler d'une probabilité qui concerne le passé, on emploie « *must have* + participe passé ».

- They **must have** missed their train.
  Ils ont dû rater leur train.

Quand employer *have to* ?

Must n'existe qu'au présent. Dans les autres cas, on emploie *have to*.

● Pour parler d'une **obligation passée** : « *had to* + verbe ».
- ● I **had to** run to catch the bus.
  J'ai dû courir pour attraper le bus.

⚠ CAREFUL!

Dans les phrases négatives et interrogatives, on utilise *did* avec *have to*.

I **didn't have to** run to catch the bus.
Je n'ai pas eu à courir pour attraper le bus.

Did you **have to** run to catch the bus?
Tu as dû courir pour attraper le bus ?

● Pour parler d'une **obligation future** : « *will have to* + verbe ».
- ● Joan **will have to** make new friends.
  Joan devra se faire de nouveaux amis.

 ● On peut utiliser *have to* au présent, pour parler d'une contrainte extérieure, d'un règlement. L'obligation ne vient pas de celui qui parle.
- ● Here, men and women **have to do** military service.
  Ici, les hommes et les femmes doivent faire leur service militaire.

⚠ CAREFUL!

Il ne faut pas confondre *don't have to* (ne pas être obligé de) et *mustn't* (être obligé de ne pas).

You're rich. You **don't have to** work.
Tu es riche. Tu n'es pas obligé de travailler.

You're sick. You **mustn't** work.
Tu es malade. Tu ne dois pas travailler.

● *Need not* (ou *needn't*) est proche de *don't have to*.
- ● You **needn't** do it today.
  Tu n'es pas obligé de le faire aujourd'hui. (Tu n'as pas besoin de le faire aujourd'hui.)

Training

1 Mets ces phrases à la forme négative.

1. You must stay seated. ....

2. We had to take another train. ....

3. Al has to finish his homework and I have to help him.

....

4. The lights are on. They must be at home.

....

2 Réécris ces phrases au temps qui convient, en t'aidant des groupes de mots soulignés.

She must go to the dentist's.

→ *She .'ll have to go to the dentist's* ... <u>tomorrow</u>.

1. We must repair our bikes. We .... <u>last week</u>.

2. I must talk to Ahmed. I .... <u>yesterday</u>.

3. We must wake up early. We .... <u>when we go back to school</u>.

4. You don't have to run. You .... <u>because you had plenty of time</u>.

Corrigés p. 342

« Tu ne dois pas faire ça ! » « Vous devez tourner à droite. »

Shall et *should*

Shall s'emploie surtout à la forme interrogative et permet de faire une **suggestion**. *Should* permet d'exprimer un **conseil** ou la **probabilité**. Il se traduit souvent par « devrais, devrait... ».

55 *Shall* (suggestion)

On emploie *shall* à la 1re personne (*Shall I/we...?*) pour **faire une suggestion**. On le traduit souvent par « Veux-tu / Voulez-vous que... ». *Shall* se prononce /ʃæl/.

- It's hot in here. **Shall** I open the window?
  Il fait très chaud ici. Voulez-vous que j'ouvre la fenêtre ?

56 *Should* (conseil et probabilité)

▶ « *Should* + verbe » (devrais, devrait...) permet d'**exprimer un conseil** ou de faire une suggestion. On ne prononce pas le *l* dans *should* : /ʃʊd/.

- You **should** tell your parents about it.
  [conseil]
  Tu devrais en parler à tes parents.

- We **should** go to bed. It's late.
  [suggestion]
  On devrait aller se coucher. Il est tard.

▶ *Shouldn't* exprime un reproche.

- They **shouldn't** go out so late.
  Ils ne devraient pas sortir si tard.

▶ Pour dire qu'on aurait dû faire quelque chose, on emploie « *should have* + participe passé ». Cette construction exprime un regret ou un reproche.

- We **should have** listened to our kids.
  On aurait dû écouter nos enfants.

- You **shouldn't have** mentioned my name.
  Tu n'aurais pas dû mentionner mon nom.

● « *Should* + verbe » (devrais, devrait) permet aussi d'exprimer la **probabilité**.

• The bus **should** be here any minute.
L'autobus devrait arriver d'une minute à l'autre.

● On peut utiliser *ought to* à la place de *should*, mais *ought to* est moins fréquent.

• You **ought to** tell your parents about it.
• The bus **ought to** be here any minute.

Training

1 Lis les phrases suivantes et dis si elles expriment une sugges-tion (S), un conseil (C) ou une probabilité (P). Puis traduis-les.

	S	C	P
1. You should send them an email now.	❏	❏	❏
2. Your brother should see a doctor. He looks so pale.	❏	❏	❏
3. They should arrive soon.	❏	❏	❏
4. Mum, shall I pick Tom up from school?	❏	❏	❏

2 Coche la traduction qui convient.

1. You should phone more often.
❏ **a.** Tu devrais appeler plus souvent.
❏ **b.** Et si tu appelais plus souvent ?

2. They shouldn't talk about it.
❏ **a.** Ils auraient dû en parler.
❏ **b.** Ils ne devraient pas en parler.

3. We shouldn't have done that.
❏ **a.** On ne devrait pas faire ça.
❏ **b.** On n'aurait pas dû faire ça.

4. Rex, you shouldn't have stolen that bone!
❏ **a.** Rex, tu n'aurais pas dû voler cet os !
❏ **b.** Rex, tu ne devrais pas voler cet os !

Corrigés p. 342

Will et le renvoi à l'avenir

Pour parler de l'avenir, on peut utiliser **will**, **be going to** ou **le présent**. Quand *will* renvoie à l'avenir, on le traduit souvent par un futur. Mais *will* ne se traduit pas toujours par un futur !

57 Le renvoi à l'avenir avec *will*

▶ On emploie « *will* + verbe » à toutes les personnes pour **parler de l'avenir**. Avec *will*, on se projette dans l'avenir et on dit que quelque chose se produira, **c'est sûr**.

- Jack **will** be 16 next year.
  Jack aura 16 ans l'année prochaine.

▶ Après un pronom personnel, *will* est souvent contracté en *'ll* : *I'll go, you'll go, she'll go, we'll go, they'll go*.

▶ À la forme négative, la forme contractée **won't** est plus fréquente que *will not*.

- Today is Sunday. The school **won't** be open!
  Nous sommes dimanche. L'école ne sera pas ouverte !

⚠ CAREFUL!

En français, on emploie le futur après « quand » et « dès que ». En anglais, on utilise le présent après *when* (quand) ou *as soon as* (dès que).

I'll phone you when I **see** them.
Je te téléphonerai quand je les verrai.

I'll text you as soon as I **see** them.
Je t'enverrai un texto dès que je les verrai.

▶ Pour dire qu'on aura fait quelque chose dans l'avenir, on emploie « *will have* + participe passé ». C'est l'équivalent du futur antérieur.

- They **will have** finished in a few minutes.
  Ils auront terminé dans quelques minutes.

« Je serai juge quand je serai grand... »

1 Complète avec *will*, *won't* ou Ø selon le cas.

1. Yes, Zack and Alex............. go to the same school next year but they............. be in the same class.

2. When I............. go to London next summer, I............. visit the British Museum.

3. Where............. you be in 2030?

4. I don't know where I............. be but I know I............. be here.

Corrigés p. 342

58 Le renvoi à l'avenir avec *be going to*

On utilise « *be going to* + verbe » quand on voit un **indice** que quelque chose va se produire ou bien quand on a déjà pris une **décision**. On ne peut pas employer *will* dans ce cas.

- Look at those clouds! It**'s going** to rain.
  [*clouds* : indice de *It's going to rain*]
  Regarde ces nuages ! Il va pleuvoir.

- "What are you going to do this summer?"
  "We**'re going** to visit my aunt in Chicago."
  [*visit my aunt in Chicago* : décision déjà prise]
  « Qu'allez-vous faire cet été ?
  – Nous allons voir ma tante à Chicago. »

59 Le renvoi à l'avenir avec le présent

● Pour parler de l'avenir, on peut aussi employer le **présent en be + -ing** pour un projet personnel, déjà prévu ou organisé. On a souvent aussi le présent en français dans ce cas.

- I'm **seeing** John and Laurie tonight.
  Je vois John et Laurie ce soir.
- What time **are** we **leaving** tomorrow?
  Nous partons à quelle heure demain ?

● Pour un projet officiel, objectif (horaires, emplois du temps), on utilise le **présent simple**.

- What time **does** the lecture **begin**?
  À quelle heure commence la conférence ?
- The plane **takes** off at ten.
  L'avion décolle à dix heures.

 CAREFUL!

Pour parler d'une action imminente, on emploie « *be about to* + verbe ».

Hurry up! The film **is about to** start.
Dépêche-toi ! Le film est sur le point de commencer.

60 Quand *will* ne se traduit pas par un futur

 ● On peut employer *will* pour **exprimer la volonté** au présent. À la forme négative, *won't* peut exprimer un refus.

- **Will** you marry me?
  Veux-tu m'épouser ?
- They **won't** talk to me.
  Ils refusent de me parler

⚠ CAREFUL!

Won't est la forme négative de *will* pour le renvoi à l'avenir **et** pour la volonté. L'interprétation dépend du contexte.

I **won't** see them next week. I'm mad at them.
Je refuse de les voir la semaine prochaine. Je suis en colère contre eux.

I **won't** see them next week. I'll be on holiday.
Je ne les verrai pas la semaine prochaine. Je serai en vacances.

▶ Pour parler d'une **décision prise sur le champ**, on utilise *will*.

- (The telephone is ringing.) Don't move. I'**ll** answer it.
  (Le téléphone sonne.) Ne bouge pas. Je réponds.

- "My suitcase is heavy." "OK, I'**ll** carry it."
  « Ma valise est lourde. – Bon, d'accord, je vais la porter. »

Training

2 Coche la traduction qui convient le mieux.

1. Le soleil se couchera dans une heure.

The sun ❏ will set ❏ is going to set ❏ is setting in an hour.

2. Je vais travailler dur cette année.

I ❏ will work ❏ am going to work ❏ am about to work hard this year.

3. Nous partons en vacances ce soir.

We ❏ will go ❏ are going ❏ are going to go on holiday tonight.

4. J'irai au lit quand je serai fatigué.

I ❏ will go ❏ am going ❏ am going to go to bed when I am tired.

5. L'avion est sur le point de décoller.

The plane ❏ is going to take off ❏ is taking off ❏ is about to take off.

(Corrigés p. 342)

Would, 'd rather, 'd better

« *Would* + verbe » correspond souvent au conditionnel français. Mais il peut avoir d'autres sens. *Would rather* exprime la préférence. *Had better* correspond à « il vaudrait mieux que... ».

61 *Would* : le conditionnel

● *Would* /wʊd/ s'emploie à toutes les personnes.

I would like (j'aimerais) we would like (nous aimerions)
you would like (tu aimerais, vous aimeriez)
he would like (il aimerait) they would like (ils aimeraient)

● Après un pronom personnel, *would* est souvent contracté en **'d** : *I'd go, you'd go, she'd go, we'd go, they'd go*.

 CAREFUL!

'd peut correspondre à *would* ou à *had* !

I'd like to stay at home. (I **would like** to stay at home.)
J'aimerais rester à la maison.

I'd already seen it. (I **had** already **seen** it.)
Je l'avais déjà vu.

● On emploie « *would* + verbe » comme le conditionnel français, pour parler d'un **fait imaginaire**.

- It **would** be nice. • **Would** they refuse?
  Ce serait sympa. Est-ce qu'ils refuseraient ?

● Comme le conditionnel français, on utilise souvent *would* dans des phrases où il y a une subordonnée conditionnelle (introduite par *if* : « si »).

- If I had the money, **I'd** buy a motor scooter.
  Si j'avais l'argent, j'achèterais un scooter.

● Comme le conditionnel français, on utilise souvent *would* au discours indirect .

> Sam said, "I'll be home at 5."
> → Sam said he'd be home at 5.
> Sam a dit : « Je serai à la maison à 5 heures. »
> → Sam a dit qu'il serait à la maison à 5 heures.

● « *Would have* + participe passé » traduit souvent le conditionnel passé.

> If I had known I **would have told** my parents.
> Si j'avais su, je l'aurais dit à mes parents.

⚠ CAREFUL!

Deux conditionnels français ne se traduisent pas avec *would*.
• « Devrais, devrait… » se traduit souvent par *should* ▶ 56 .

We **should** go out more often.
On devrait sortir plus souvent.

• « Pourrais, pourrait… » se traduit souvent par *could*, parfois par *might* ▶ 45 .

You **could** invite the Kaufmanns.
Tu pourrais inviter les Kaufmann.

62 *Would* : demande polie et habitude

● *Would you…* peut s'employer dans les demandes polies.

> **Would** you open the window, please?
> Est-ce que vous voulez bien ouvrir la fenêtre ?

● « *Would* + verbe » peut aussi s'employer pour exprimer une **habitude** dans le passé. On le traduit alors par un imparfait. Il est comparable à *used to* dans ce sens ▶ 23 .

> My grandma **would** take me to the movies every Sunday.
> (My grandma used to take me to the movies…)
> Ma grand-mère m'emmenait au cinéma tous les dimanches.

Training

1 Coche la valeur de *would* (*'d*) dans ces phrases :
conditionnel (C) ou habitude (H).

	C	H
1. It would be great to see them again.	❑	❑
2. My parents would kiss me every morning when I was a kid.	❑	❑
3. We'd often go swimming when we lived in Bristol.	❑	❑
4. We'd go swimming if we had more time.	❑	❑

(Corrigés p. 342)

63 *Would rather* : « j'aimerais mieux »

▶ « *Would rather* + verbe » exprime la **préférence**. On le traduit le plus souvent par « je/tu préférerais... » ou « je/tu aimerais mieux... ». *Would rather* est souvent réduit à *'d rather*.

> • I**'d rather** be with you.
> Je préférerais être avec toi. (J'aimerais mieux être avec toi.)

▶ La négation se forme en ajoutant *not* après *rather*.

> • I**'d rather not** go.
> Je préférerais ne pas y aller.

▶ Dans une question, l'ordre est « *would* + sujet + *rather* ».

> • **Would** you **rather** be with your friends?
> Tu préférerais être avec tes amis ?

 CAREFUL!

Si on complète la comparaison (préférer... que), on emploie *than*. Dans *would rather*, *rather* (plutôt) est une forme comparative. Il est donc logique que *rather* soit suivi de *than*.

We'd rather resign **than** work with you.
[surtout pas **that** !]
Nous préférerions démissionner que travailler avec vous.

« Je préférerais être avec toi. »

64 *Had better* : « je ferais mieux de »

B1

« *Had better* + verbe » correspond à « je ferais, tu ferais, il ferait mieux de ». La négation se forme en ajoutant *not* après *better*.

- You'**d better** go home.
  Tu ferais mieux de rentrer chez toi.
- You'**d better not** tell them.
  Tu ferais mieux de ne pas leur dire.

⚠ CAREFUL!

'**d** correspond à **would** dans '*d rather* mais à **had** dans '*d better*.

I'**d** rather be with you. (I **would** rather be with you.)
You'**d** better go home. (You **had** better go home.)

Training

2 Complète avec *would rather* ou *had better* selon le cas.

1. It's very late. You........................ go back home now.

2. Please, Mum, I........................ not spend the weekend at Ray's! I'd like to stay home.

3. We........................ live in London than in Paris.

4. You........................ work hard this year if you want to pass your exam.

Corrigés p. 342

L'impératif

L'impératif s'emploie de la même façon en anglais et en français et il est très facile à former.

65 Conjuguer l'impératif

	affirmation	négation
2e pers. sing./plur.	Go. Pars./Partez.	Don't go. Ne pars pas./Ne partez pas.
1re pers. plur.	Let's go. Partons. (Allons-y.)	Let's not go. Ne partons pas.

▶ **À la 2e personne**, au singulier ou au pluriel, on emploie la **base verbale**. À la forme négative, on ajoute *don't* avant la base verbale.

- **Shut** the door. **Don't slam** the door! Too late...
  Ferme la porte. Ne claque pas la porte ! Trop tard...

▶ À la 1re **personne** du pluriel, on ajoute *let's* avant la base verbale. À la forme négative, on ajoute *let's not* avant la base verbale.

- **Let's make** a cake!
  Faisons un gâteau.
- **Let's not stop** now!
  Ne nous arrêtons pas maintenant.

66 Employer l'impératif

En anglais comme en français, l'impératif s'emploie pour exprimer un ordre, une suggestion ou une consigne.

ordre	Listen to me! Écoute-moi ! / Écoutez-moi !
suggestion	Please, don't wait for me. Start if you want to. Je t'en prie, ne m'attends pas. Commence si tu veux.
consigne	Put the verbs in brackets into the correct tense. Mettez les verbes entre parenthèses au temps qui convient.

4

L'impératif

67 *Do* avec l'impératif

On peut employer « *do* + verbe » à l'impératif pour insister.

Listen to me.	**Do listen** to me.
Écoute-moi.	Écoute-moi bien.
Be nice to her.	**Do be** nice to her.
Sois gentil avec elle.	Surtout sois gentil avec elle.

Training

1 Transforme ces phrases en ordres à l'aide de l'impératif.

Leila, you must help me. → *Leila, help me....*
We must go now. → *Let's go now......*

1. You must tell her you love her..

2. We must not follow them..

3. You must not write on the tables!...

4. We must listen to the instructions first..................................

2 Complète ces phrases avec les impératifs proposés.

let's have • let's be • let's not make • tell • be • tick • listen • do

1. .... honest!.............. me the truth!

2. .... the same mistake again!.............. careful this time!

3. .... to the dialogue, then.................. the exercise:
.... the correct answers.

4. The weather is beautiful today............... lunch in the garden!

Corrigés p. 343

GRAMMAIRE • LE VERBE

Tags et réponses brèves

« Elle déteste la télé, pas vrai ? »

Les **tags** ou *question tags* et les réponses brèves sont fréquents en anglais dans la conversation de tous les jours.

68 Les *tags* : « hein ? », « n'est-ce pas ? »

● Les *tags* correspondent à « n'est-ce pas », « hein ? », « non ? ». Ils servent surtout à demander confirmation ou à solliciter une **réaction** de la part de ceux qui écoutent. Cette réaction peut être un simple hochement de tête.

● Pour former un *tag*, on utilise le **même auxiliaire** que dans la phrase principale.

phrase positive	*tag* négatif (toujours *n't*)
It's nice,	**isn't** it?
C'est sympa,	non ?
You've (have) got a cat,	**haven't** you?
Tu as un chat,	non ?
You **can** do it,	**can't** you?
Vous pouvez le faire,	n'est-ce pas ?

phrase négative	*tag* positif
It **isn't** nice,	**is** it?
C'est pas sympa,	hein ?
They **don't** like me,	**do** they?
Ils ne m'aiment pas,	hein ?

🔵 Quand il n'y a pas d'auxiliaire dans la phrase principale, on emploie dans le *tag* **don't** ou **doesn't** si la principale est au présent et **didn't** si la principale est au prétérit.

phrase positive	*tag* négatif (toujours *n't*)
You love her,	**don't** you?
Tu l'aimes,	n'est-ce pas ?
She hates TV,	**doesn't** she?
Elle déteste la télé,	pas vrai ?
They arrived early,	**didn't** they?
Ils sont arrivés tôt,	n'est-ce pas ?

🔵 Avec les *tags*, l'intonation est descendante, car ce ne sont pas de vraies questions.

Training

1 Complète ces phrases à l'aide de *question tags*.

1. They are in Canada, ...?   **3.** You can't drive, ...?

2. She's not French, ...?   **4.** He loves her, ...?

> Corrigés p. 343

69 Les réponses brèves : « oui », « non »

🔵 À une question comme *Is she here?*, on peut repondre simplement par *Yes* ou par *No*.

> • "Is she here?" "Yes."/"No."
> « Elle est ici ? – Oui./Non. »

🔵 Mais souvent, on complète sa réponse à l'aide d'un sujet et d'un **auxiliaire**. C'est ce qu'on appelle une réponse « brève » ! L'auxiliaire de la réponse est le même que celui de la question.

> • "**Is** she here?" "Yes, she **is**."/"No, she **is** not (**isn't**)."
> « Elle est ici ? – Oui./Non. »
> • "**Do** you live in Ireland?" "Yes, I **do**."/"No, I **don't**."
> « Est-ce que vous habitez en Irlande ? – Oui./Non. »

● D'autres réponses sont possibles :

maybe, perhaps (peut-être) I don't know (je ne sais pas)
I think so (je crois) I hope so (j'espère)
I don't think so (je ne crois pas) I hope not (j'espère que non)

70 Les réponses brèves : « moi aussi », « moi non plus »

On appelle « réponses de conformité » les réponses du type « moi aussi », « moi non plus ». Elles expriment un **accord** avec ce qui vient d'être dit.

● « Moi aussi » se dit *Me too* à l'oral.
   • "I can drive." "**Me too.**"
   « Je sais conduire. – Moi aussi. »

● « Moi non plus » se dit *Me neither* à l'oral. *Neither* se prononce /ˈnaɪðə/ ou /ˈniːðə/.
   • "I can't sing." "**Me neither.**"
   « Je ne sais pas chanter. – Moi non plus. »

● On ne peut pas calquer *Me too/Me neither* pour les autres personnes (*you*, *she*...). Il faut employer « *So* + auxiliaire » et « *Neither* + auxiliaire » qui s'emploient pour toutes les personnes.

"I can drive."	"**So can** I."	"**So can** she."
« Je sais conduire. »	"Me too."	("~~Her too.~~")
	« Moi aussi. »	« Elle aussi. »
"I can't sing."	"**Neither can** I."	"**Neither can** she."
« Je ne sais pas chanter. »	"Me neither."	("~~Her neither.~~")
	« Moi non plus. »	« Elle non plus. »

● Quand il n'y a pas d'auxiliaire dans la première phrase, on emploie *do* ou *does* au présent et *did* au prétérit.
   • "I love chocolate." "**So do** I."/"So **does** my dog."
   « J'adore le chocolat. – Moi aussi./Mon chien aussi. »
   • "My granddad spoke three languages." "**So did** mine."
   « Mon grand-père parlait trois langues. – Le mien aussi. »

71 Les réponses brèves : « moi, si », « pas moi »

Les réponses du type « moi, si », « pas moi » servent à émettre un **avis contraire** à celui qu'on vient d'entendre.

◗ Pour dire « moi, si », « lui, si », on utilise l'auxiliaire de la première phrase mais à la forme affirmative. Le <u>sujet</u> est accentué.

- "I don't like fish." "<u>I</u> do."/"<u>She</u> does."
  « Je n'aime pas le poisson. – Moi, si./Elle, si. »
- "We are not happy." "<u>I</u> am."/"<u>They</u> are."
  « Nous ne sommes pas heureux. – Moi, si./Eux, si. »

◗ Pour dire « pas moi », « pas elle », on utilise le même auxiliaire que dans la première phrase, mais à la forme négative. S'il n'y a pas d'auxiliaire dans la première phrase, on utilise **don't** ou **doesn't** au présent et **didn't** au prétérit.

- "I'm exhausted." "I'm not."/"He's not."
  « Je suis épuisé. – Pas moi./Pas lui. »
- "We earn a lot of money." "I don't."/"They don't."
  « Nous gagnons beaucoup d'argent. – Pas moi./Pas eux. »

2 Traduis les réponses brèves, en utilisant un auxiliaire.

1. "Are you French?" (Oui.) "………………………"

2. "Can you sing?" (Oui.) "………………………"

3. "Do you want to eat now." (Non.) "………………………"

4. "I like mountains." (Moi aussi.) "………………………"

5. "We aren't tired." (Nous non plus.) "………………………"

6. "I hate fish." (Pas moi.) "………………………"

(Corrigés p. 343)

Les types de noms

Comme en français, il existe en anglais des noms simples et des noms composés. Mais l'anglais fait une autre distinction très importante entre **noms dénombrables** et **noms indénombrables**, distinction qui n'existe pas en français.

72 Noms simples et noms composés

▶ Les noms simples sont formés d'une seule unité : *bike* (vélo), *girl* (fille), *school* (école). Les noms composés sont formés de deux noms. L'ordre des mots en anglais est l'**inverse** du français.

a music teacher
un prof de musique

a city centre
un centre-ville

▶ Quand un nom composé est formé de deux noms courts, il s'écrit souvent en un seul mot : *a bedroom* (une chambre à coucher), *a weekend* (un week-end), *toothpaste* (du dentifrice)...

▶ Dans les noms composés, le premier nom est presque toujours au singulier : *a horse race* (une course de chevaux), *shoe shops* (des magasins de chaussures).

 CAREFUL!

Le premier nom reste au singulier, même quand il est précédé d'un nombre.

a fifty-**euro** bill
un billet de cinquante euros

a thousand-**dollar** question
une question à mille dollars

▶ Dans certains noms composés, le premier mot peut être formé à partir de V-*ing* : *a swimming pool* (une piscine), *a boarding school* (un pensionnat), *a living room* (un salon).

▶ Dans les noms composés, c'est habituellement le premier nom qui porte l'accent principal : '*music teacher*, '*bedroom*, '*toothpaste*.

Training

1 Traduis en français les noms composés suivants.
Que remarques-tu en comparant les deux langues ?

1. olive oil:...............................   **5.** a weekend:.........................

2. a cotton dress:......................   **6.** a car park:...........................

3. sugar cane:..........................   **7.** a sportswoman:...................

4. a bodyguard:........................   **8.** food poisoning:...................

(Corrigés p. 343)

73 Noms dénombrables et noms indénombrables

◗ Les **noms dénombrables** sont des noms que l'on peut compter avec des mots comme *a*, *two*, *many*. On peut dire *a dog*, *two dogs*, *many dogs* : le nom *dog* est dénombrable.

◗ Les **noms indénombrables** sont des noms qu'on ne peut pas compter. Ils ne peuvent pas être précédés de *a*, *two*, *many*. On ne peut pas dire *ø love* : le nom *love* est indénombrable. On ne peut pas dire *ø sugar* : le nom *sugar* est indénombrable.

 CAREFUL!

Les noms indénombrables ne se mettent pas au pluriel : ~~furnitures~~, ~~sugars~~, ~~golds~~.

◗ Voici des noms indénombrables à retenir car ils sont très courants :

advice	furniture	information	news
conseils	meubles	renseignements	nouvelles
fruit	hair	luggage	toast
fruits	cheveux	bagages	toasts

some fruit
quelques fruits

two pieces of fruit
deux fruits

73

2 Coche les noms indénombrables.

1. advice ❑   **3.** loaf ❑   **5.** information ❑   **7.** apple ❑
2. piece ❑   **4.** bread ❑   **6.** homework ❑   **8.** fruit ❑

Corrigés p. 343

74 Comment employer les noms indénombrables ?

▶ Les noms indénombrables sont suivis d'un **verbe au singulier**, mais on les traduit souvent par un pluriel.

- Your advice **was** useful.
  Tes conseils ont été utiles.
- The fruit **is** in the basket.
  Les fruits sont dans le panier.
- Their furniture **is** very old.
  Leurs meubles sont très vieux.
- His hair **is** too short.
  Ses cheveux sont trop courts.
- The information **was** wrong.
  Les renseignements étaient faux.
- Where **is** our luggage?
  Où sont nos bagages ?
- What **is** the news today?
  Quelles sont les nouvelles aujourd'hui ?
- The toast **is** on the counter.
  Les toasts sont sur le comptoir.

« Tes cheveux sont trop courts. »

74

◗ Heureusement, on peut quand même dire « un conseil », « deux fruits », « trois meubles », « quatre toasts »… en anglais ! Pour cela, on utilise par exemple *a piece of*, *two pieces of*…

a **piece of** advice
un conseil

three **pieces of** furniture
trois meubles

a **loaf of** bread
un pain

a **lump of** sugar
un sucre

◗ Pour dire « des nouvelles », « des renseignements »…, on peut employer *some*. Mais le nom reste au singulier.

some advice
des conseils

some furniture
des meubles

some fruit
des fruits

some information
des renseignements

75 Comment reconnaître un nom indénombrable ?

◗ Pour savoir si un nom est dénombrable ou indénombrable, il faut **consulter un dictionnaire**.

◗ Il faut retenir cependant que sont indénombrables la plupart des noms qui désignent :
– des **matières** : *cotton* (le coton), *money* (l'argent) ;
– des **liquides** : *milk* (le lait), *water* (l'eau) ;
– des **termes abstraits** : *literature* (la littérature), *love* (l'amour), *philosophy* (la philosophie)…

◗ Beaucoup de noms désignant la **nourriture** sont indénombrables : *bread* (le pain), *butter* (le beurre), *honey* (le miel), *jam* (la confiture), *pasta* (les pâtes), *salt* (le sel), *sugar* (le sucre).
Ils sont souvent précédés de « *a* + nom + *of* ».

a jar of jam
un pot de confiture

a pinch of salt
une pincée de sel

◗ Toutefois, les noms désignant des fruits et légumes sont dénombrables : *an apple* (une pomme), *a potato* (une pomme de terre), *a salad* (une salade)...

◗ Certains noms sont employés comme dénombrables ou comme indénombrables, parfois avec un sens un peu différent.

dénombrable	indénombrable
a business (une entreprise)	business (les affaires)
a paper (un journal)	paper (du papier)
a glass (un verre)	glass (du verre)

• "Look at those four cute little **chickens**."
"Er, I won't eat **chicken** today."
« Regarde ces quatre petits poulets adorables.
– Euh, je ne mangerai pas de poulet aujourd'hui. »

 Careful!

Weather et *work* sont indénombrables. On les emploie donc sans *a*.

We had foul weather in July.
On a eu un temps pourri en juillet.

It's hard work.
C'est un travail difficile.

 **Training**

3 Complète les phrases avec *a(n)* ou *some*.
1. There's .... fruit on the table. Do you want .... apple?
2. *The Guardian* is .... famous British paper.
3. Could you give me .... paper, please? I've forgotten my copybook.
4. Would you like .... glass of orange juice?
5. We'd like to have .... information about what to see in this city.

(Corrigés p. 343)

Le pluriel des noms

« Les gens sont parfois si impolis. »

Il est facile de former le pluriel des noms : on ajoute **-s** au nom.
Mais quelques noms très courants ont un pluriel irrégulier.

76 Les pluriels réguliers

▶ Le pluriel se forme en ajoutant **-s** au nom.

singulier		pluriel
a brother (un frère)	→	two brothers
a dog (un chien)	→	two dogs
a schoolbag (un cartable)	→	two schoolbags

▶ Si le nom se termine par **-s**, **-x**, **-ch**, **-sh** ou **-o**, on ajoute **-es**.

singulier		pluriel
a bus (un bus)	→	two buses
a fox (un renard)	→	two foxes
a watch (une montre)	→	two watches
a brush (une brosse)	→	two brushes
a tomato (une tomate)	→	two tomatoes

▶ Si le nom se termine par **-y**, on écrit **-ies**.
Mais si on a « voyelle + -y », on ne change rien.

singulier		pluriel
a cherry (une cerise)	→	two cherries
a boy (un garçon)	→	two boys

⚠️ **CAREFUL!**

Le -s du pluriel se prononce

/s/
Après /f/, /k/, /p/, /t/ :
roofs /ruːfs/   **backs** /bæks/
caps /kæps/   **rats** /ræts/

/z/
Dans tous les autres cas et donc après une voyelle :
bags /bægz/   **telephones** /telɪfəʊnz/
keys /kiːz/   **ways** /weɪz/

/ɪz/
Après /s/, /ʃ/, /z/, /dʒ/ :
buses /bʌsɪz/
roses /rəʊzɪz/
watches /wɒtʃɪz/
pages /peɪdʒɪz/

Training 🏋️

1 Mets les mots suivants au pluriel dans la colonne qui convient.

a volcano • a monkey • a toothbrush • a baby • a holiday • a candy • a horse • a genius • a puppy

pluriel en -s	pluriel en -es	pluriel en -ies
....	....	....
....	....	....
....	....	....

Corrigés p. 343

77 Les pluriels irréguliers

▶ Quelques noms très courants ont un pluriel irrégulier.

singulier		**pluriel**
a child /tʃaɪld/ (un enfant)	→	children /tʃɪldrən/
a man (un homme)	→	men
a woman (une femme)	→	women /wɪmɪn/
a foot (un pied)	→	feet
a tooth (une dent)	→	teeth
a mouse (une souris)	→	mice /maɪs/

On dira donc *a sports**man*** (un sportif), *two sports**men*** (deux sportifs) et *a sports**woman*** (une sportive), *two sports**women*** (deux sportives).

◗ Plusieurs noms en **-f(e)** font leur pluriel en **-ves**.

singulier		pluriel
a knife (un couteau)	→	knives
a leaf (une feuille [d'arbre])	→	leaves
a shelf (une étagère)	→	shelves
a wife (une épouse)	→	wives
a wolf (un loup)	→	wolves

Mais *a cliff* (une falaise) → *cliffs* et *a roof* (un toit) → *roofs*.

◗ Quelques noms d'animaux sont invariables.

singulier		pluriel
a sheep (un mouton)	→	two sheep
a fish (un poisson)	→	two fish
a deer (un cerf)	→	two deer

◗ Les noms de famille prennent un **-s** au pluriel.

　　• The Martin**s** did not invite the Brown**s**.
　　Les Martin n'ont pas invité les Brown.

◗ Les noms de pays au pluriel sont suivis d'un verbe au **singulier**.

　　• The United States **is** ~~are~~ south of Canada.
　　Les États-Unis sont au sud du Canada.

 CAREFUL!

Attention à la traduction du nom « personne ».

one person	two people	three people
une personne	deux personnes	trois personnes

 **Training**

2 **Complète en mettant les noms au pluriel.**

1. one sandwich, two..

2. one potato, two kilos of..................................

3. one woman, five..

4. one tooth, thirty-two.....................................

5. one policeman, ten...

Corrigés p. 343

78 Les noms toujours au pluriel

● Les objets qui sont en deux parties sont toujours au pluriel.

vêtements

jeans (un jean)

pyjamas (un pyjama)

shorts (un short)

trousers (un pantalon)

tights (un collant)

instruments

binoculars (des jumelles)

glasses (des lunettes)

pliers (une pince)

scissors (des ciseaux)

handlebars (un guidon)

- Your trouser**s are** torn. (~~Your trouser is torn.~~)
  Ton pantalon est déchiré.

● Les noms *people* et *police* sont toujours au pluriel, même s'ils ne ressemblent pas à des pluriels.

- People are so rude sometimes. (People ~~is~~ so rude…)
  Les gens sont parfois si impolis.
- The police have arrived. (The police ~~has~~ arrived.)
  La police est arrivée.

Training

3 Rajoute un -s aux mots suivants lorsque c'est nécessaire.

1. my two brother…

2. the people… I know

3. my blue jean…

4. the handlebar… of my bicycle

5. four sheep…

6. his new trouser…

7. the baby's pyjama…

8. three goldfish…

Corrigés p. 343

Les articles

L'article *the* se traduit très souvent par « le, la, les », mais « le, la, les » peut se traduire par *the* ou par l'article zéro !

L'article *a* est très proche de « un, une », mais parfois on emploie *a* en anglais et pas « un, une » en français.

79 L'article zéro (absence d'article)

On parle d'article zéro pour signaler l'absence d'article devant un nom. On le symbolise souvent à l'aide de Ø.

▶ On emploie l'article zéro pour exprimer des **généralités**.

- Ø Life is beautiful. La vie est belle.
- Ø Computers have changed my life.
  Les ordinateurs ont changé ma vie.
- Ø Spiders have eight legs. Les araignées ont huit pattes.

▶ On emploie aussi l'article zéro avec les moyens de déplacement :

by bus	by car	by plane	by train	on foot
en bus	en voiture	en avion	en train	à pied

80 L'article *the*

▶ On emploie *the* pour désigner une personne ou un objet **identifiés** (« le, la, les » en français). Avec *the*, on sous-entend « tu sais de quoi je parle ».

- Shut **the** door, please.
  Ferme la porte, s'il te plaît. [la porte de la pièce où nous sommes]
- Where is **the** dog?
  Où est le chien ? [le chien de la maison]

 CAREFUL!

/ðə/ devant un son de consonne	/ði/ devant un son de voyelle
the door (la porte)	the umbrella (le parapluie)
the house (la maison)	the other side (l'autre côté)

◗ On emploie *the* devant un élément **unique** (« le, la » en français).

the Earth	**the** President	**the** sun
la Terre	le Président	le soleil
the environment	**the** Queen	**the** world
l'environnement	la Reine	le monde

◗ On emploie *the* devant les **instruments de musique** (« du, de la » en français).

- She plays **the** piano and **the** guitar.
  Elle joue du piano et de la guitare.

◗ « *The* + adjectif » est parfois utilisé pour désigner des **groupes humains** (« les » en français). L'adjectif reste invariable, mais le verbe est au pluriel.

the blind	**the** unemployed	**the** young
les aveugles	les chômeurs	les jeunes

- In my country **the** unemployed **get** help from the government.
  Dans mon pays, les chômeurs reçoivent une aide du gouvernement.

◗ Avec les noms d'**animaux** ou d'**inventions** au singulier, on peut aussi utiliser *the* pour exprimer une généralité (« le, la, les » en français).

- **The** dog is a faithful animal. Le chien est un animal fidèle.
- Who invented **the** telephone? Qui a inventé le téléphone ?

Training

1 Complète les phrases avec *the* ou l'article zéro (Ø).

1. .... sun rises in the east.

2. .... women usually live longer than .... men.

3. Pass me .... salt, please!

4. Anna plays .... saxophone and her sister plays .... clarinet.

5. .... young spend a lot of time on social networks whereas .... elderly people rarely do.

Corrigés p. 343

81 Comment traduire « le, la, les » ?

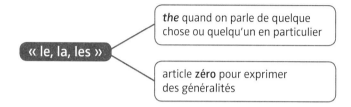

« le, la, les »

the quand on parle de quelque chose ou quelqu'un en particulier

article **zéro** pour exprimer des généralités

« Je déteste les chats ! »

◗ Noms de lieux : article zéro ou *the*

be in bed	be at home	be at school	be at work
être au lit	être à la maison	être à l'école	être au travail
go to bed	go home	go to school	go to work
aller au lit	rentrer à la maison	aller à l'école	aller au travail

mais :

go to the cinema/the theatre
aller au cinéma/au théâtre
go to the dentist/the doctor
aller chez le dentiste/le médecin

◗ Télévision et radio : article zéro ou *the*

watch television
regarder la télévision
seen on television
vu à la télé

mais :
listen to **the** radio
écouter la radio

▶ *Last* et *next* + nom : article zéro

last week	next month
la semaine dernière	le mois prochain

▶ Noms de repas, sports, langues, couleurs : article zéro

breakfast	football	swimming	English	red
le déjeuner	le football	la natation	l'anglais	le rouge

> • Lunch is ready! Le déjeuner est prêt !

▶ Noms propres : article zéro

England and France	President Smith
l'Angleterre et la France	le président Smith
Doctor Anwar	Queen Elizabeth
le docteur Anwar	la reine Elizabeth
Lake Victoria	[mais sans le prénom : *the Queen*]
le lac Victoria	

Mais on emploie l'article ***the*** avec :

– les noms de pays terminés par *kingdom* ou *states*

the United Kingdom (le Royaume-Uni),
the United States (les États-Unis)

– les noms de mers, océans, rivières et montagnes

the Mediterranean	**the** Alps
la Méditerranée	les Alpes
the Atlantic	**the** Thames /temz/
l'Atlantique	la Tamise

Training

2 Raye l'article qui ne convient pas.

1. I like ∅ / the coffee, and you?

2. ∅ / The young usually enjoy going to ∅ / the cinema.

3. She often watches ∅ / the television, but she never listens to ∅ / the radio.

4. Where is ∅ / the book you mentioned?

5. I met John ∅ / the last week.

Corrigés p. 343

82 L'article *a (an)* : formes

🔵 L'article *a(n)* équivaut au français « un, une ». On emploie :
– *a* /ə/ devant un son de consonne ;
– *an* /ən/ devant un son de voyelle.

a nice friend	**an** easy choice
un copain sympa	un choix facile
a cat	**an** animal
un chat	un animal

🔵 On ne prononce pas le *h* dans *hour* et *honest*. On dit donc : ***an** hour* (une heure), ***an** honest person* (une personne honnête).

> • I had to wait **an** hour to get **an** honest answer.
> J'ai dû attendre une heure pour obtenir une réponse honnête.

🔵 On dit *a European*, *a uniform*, *a university*, car ces mots commencent par le son /j/.

> • She has **a** European passport.
> Elle a un passeport européen.

🔵 *An* + *other* s'écrit en un seul mot : *another bus* (un autre bus).

83 L'article *a (an)* : emploi

🔵 On emploie très souvent *a* comme « un, une ».

> • She has **a** car.
> Elle a une voiture.

> • I'd like **a** milkshake.
> Je voudrais un milkshake.

> • **A** child needs affection.
> Un enfant a besoin d'affection.

🔵 Le pluriel de « un, une » est « des ». Pour traduire « des », on emploie l'article zéro (absence d'article) ou *some* ▶ 87 .

> • We're looking for volunteers.
> (We're looking for **some** volunteers.)
> Nous cherchons des volontaires.

◗ On emploie *a* devant les **noms de métiers ou de fonctions** (pas d'article en français).

- Leila is **a** magistrate, James is **a** dentist and I am **a** student.
Leila est magistrate, James est dentiste et moi, je suis étudiant.

◗ On emploie *a* dans les **unités de temps et de mesure** (article « le » en français).

60 kilomètres **an** hour
60 kilomètres à l'heure
ten dollars **a** litre
dix dollars le litre

◗ On emploie *a* pour traduire « **par + durée** » (pas d'article en français).

six times **a** month
six fois par mois
a hundred euros **a** week
cent euros par semaine

◗ On emploie également *a* entre *what* et un nom dénombrable (pas d'article en français).

- What **a** liar!
Quel menteur !

 **Training**

❸ Complète les phrases avec les mots suivants :
the elephant • an elephant • the teacher • a teacher • teachers • teacher

1. .... gave us a lot of homework.

2. I saw .... when I was in Africa.

3. .... has a very good memory.

4. .... work more in Great Britain.

5. He is ....

Corrigés p. 344

Les démonstratifs

« Cette montre est pour toi. » « Cette montagne est magnifique. »

Les démonstratifs *this* et *that* servent très souvent à **montrer** quelque chose ou quelqu'un. Mais *this* et *that* peuvent aussi avoir un sens plus abstrait.

84 *This* et *that* : sens concret

▶ On associe souvent **this** à ce qui est proche et **that** à ce qui n'est pas proche, mais il est plus exact de dire que celui qui parle **se sent proche** de quelque chose avec *this* et **non proche** avec *that*.

▶ Le pluriel de *this* est **these** ; le pluriel de *that* est **those**.

	singulier	**pluriel**
proche	this /ðɪs/	these /ðiːz/
non proche	that /ðæt/	those /ðəʊz/

▶ *This* et *that* peuvent s'employer avec un nom.

- **This watch** is for you.
  Cette montre est pour toi.
- **That mountain** is so beautiful.
  Cette montagne est si belle.

87

▶ *This* (ce, ceci) et *that* (ce, cela, ça) peuvent aussi s'utiliser sans nom.

- **This** is for you.
  C'est pour vous. [la montre que je tiens dans les mains]
- **That**'s so beautiful!
  C'est si beau ! [la montagne qui se dresse devant nous]

▶ *This* et *that* peuvent être suivis de *one*. Au pluriel, on utilise *these* et *those*, le plus souvent sans *ones*.

this one (celui-ci, celle-ci)	that one (celui-là, celle-là)
these (ceux-ci, celles-ci)	those (ceux-là, celles-là)

- **This one** is too big and **that one** too small.
  Celui-ci est trop grand et celui-là trop petit.
- "Do you like **these shoes**?" "I prefer **these** to **those**."
  « Tu aimes ces chaussures ? – Je préfère celles-ci à celles-là. »

Training

1 Choisis le démonstratif qui convient.

I love .... blue dresses! Especially .... one with the dots!

I prefer .... red one, over there!

Corrigés p. 344

85 *This* et *that* : sens plus abstrait

◗ Au téléphone, *this* désigne celui qui parle, et *that* celui à qui on s'adresse (non proche).

> • Hi, **this** is Sofia. Is **that** Trish?
> Bonjour, c'est Sofia. C'est Trish ?

◗ Pour présenter quelqu'un (proche), on utilise toujours *this*, même pour deux personnes.

> • **This** is Mary and **this** is John and Samia.
> Voici Mary et voici John et Samia.

◗ Voici des **expressions** courantes avec *this* ou *that*.

this (ou *these*) [proche]	**this** year (cette année [l'année en cours]), **these** days (de nos jours)
that (ou *those*) [non proche]	**that** year (cette année-là), in **those** days (à cette époque-là), **that**'s all (c'est tout)

◗ Quand on reprend des paroles, on préfère *that* à *this*.

> • ''I passed all my exams!'' ''**That**'s amazing.''
> « J'ai été reçu à tous mes examens ! – C'est incroyable. »

◗ Quand on parle du passé, on préfère utiliser *that*.

> • **That** was incredible! I wonder how she did **that**.
> C'était incroyable, ça ! Je me demande comment elle a fait ça.

Training

2 Choisis le démonstratif qui convient.

1. Did you see .... shooting star [étoile filante]? Let's make a wish!

2. I love .... tea. Do you want a sip [une gorgée]?

3. .... children here are very friendly. .... children over there are a bit difficult.

4. What is .... behind your back?

Corrigés p. 344

Some, any et no

Some et *any* expriment tous deux une **certaine quantité** mais ils ne s'emploient pas dans les mêmes types de phrases.

Not any et *no* expriment tous deux une **quantité nulle** ; mais ils ne se construisent pas de la même façon.

86 *Some* dans les affirmations, *any* dans les questions

Le plus souvent, *some* s'emploie dans les **affirmations**, *any* dans les **questions**.

▶ *Some* et *any* peuvent s'employer avec un nom. Ils signifient dans ce cas « de, de la, du, des ».

- I want **some butter**, **some jam**… and **some cookies**.
  Je veux du beurre, de la confiture et des biscuits.

- Do you have **any questions**?
  Vous avez des questions ?

I want some jam.

▶ *Some* et *any* peuvent s'employer sans nom. On les traduit alors souvent par « en ».

- Yes, I want **some**.
  Oui, j'en veux.

- Did they buy **any**?
  Ils en ont acheté ?

« Je veux de la confiture. »

Training

1 Coche le quantifieur qui convient.

1. I have ❏ some ❏ any marmelade in my fridge.

2. Do you sell ❏ some ❏ any ink pens?

3. These biscuits look delicious! I want ❏ some ❏ any.

4. Does she have ❏ some ❏ any idea where my shirt is?

Corrigés p. 344

87 Comment traduire « de (la), du, des » ?

◗ Si « de, de la, du, des » signifie « un peu » ou « quelques », on le traduit par *some* dans les affirmations et par *any* dans les questions.

- Here's **some** money to buy **some** vegetables.
  Voici de l'argent pour acheter des légumes.
  [un peu d'argent, quelques légumes]

- Do you need **any** help?
  Vous avez besoin d'aide ?

◗ Si « de, de la, du, des » ne signifie pas « un peu » ou « quelques », on le traduit par l'**article zéro** (∅).

- "I sell fish, and you?" "I sell shoes."
  « Je vends du poisson, et vous ? – Je vends des chaussures. »
  [« Du poisson » ne signifie pas « un peu de poisson » ; « des chaussures » ne veut pas dire « quelques chaussures ».]

- You have beautiful eyes.
  Tu as de beaux yeux.
  [« De beaux yeux » ne signifie pas « quelques beaux yeux » !]

88 Autres emplois de *some* et *any*

◗ On peut employer *some* dans les questions pour **offrir** ou **demander** quelque chose.

- Would you like **some** tea?
  Est-ce que vous voulez du thé ?

- Can I have **some** crisps?
  Est-ce que je peux avoir des chips ?

◗ On peut aussi employer *some* dans les questions quand on s'attend à une réponse positive.

- Did you buy **some** honey, as I asked you to?
  Est-ce que tu as acheté du miel, comme je te l'ai demandé ?

◗ Selon le contexte, dans une affirmation, *some* peut signifier « certains ».

- **Some** people walked out during the film.
  Certaines personnes sont sorties pendant le film.

◗ *Any* dans une phrase affirmative signifie « n'importe quel ».

- **Any** child knows that.
  N'importe quel enfant sait ça.

89 Les pronoms en *some–*, *any–* et *no–*

some-	any-	not... any-
somebody,	anybody,	not... anybody,
someone	anyone	not... anyone
	quelqu'un	ne... personne
something	anything	not... anything
	quelque chose	ne... rien
somewhere	anywhere	not... anywhere
	quelque part	ne... nulle part

◗ Les pronoms en *some-* s'emploient comme *some* surtout dans les phrases affirmatives.

- I'd like **something** for my little sister.
  Je voudrais quelque chose pour ma petite sœur.
- **Someone** has just called.
  Quelqu'un vient de téléphoner.

◗ Les pronoms en *any-* s'emploient comme *any* surtout dans les questions.

- Is there **anything** in the fridge?
  Est-ce qu'il y a quelque chose dans le frigo ?
- Does **anyone** speak Japanese?
  Est-ce que quelqu'un parle japonais ?

◗ À la forme négative, on emploie les pronoms en *any-* ▶ 90 .

- There isn't **anybody** in the classroom.
  Il n'y a personne dans la classe.
- I didn't say **anything**.
  Je n'ai rien dit.

▶ À la place de *not... anybody*, *not... anything*, *not... anywhere*, on peut employer *nobody*, *nothing*, *nowhere*. Attention : les pronoms en *no-* s'emploient avec un verbe **affirmatif**.

not + anybody	**nobody, no one**

There is**n't anybody** here.
There is **nobody** here.
There is **no one** here.

Il n'y a personne ici.

not + anything	**nothing**

I did**n't** say **anything**, sir! I said **nothing**, sir!

Je n'ai rien dit, monsieur !

not + anywhere	**nowhere**

We're **not** going **anywhere**. We're going **nowhere**.

Nous n'allons nulle part.

▶ Dans une phrase affirmative, *anything* signifie « n'importe quoi », « tout » et *anybody* « n'importe qui ».

• I would do **anything** to prove my love.
Je ferais n'importe quoi pour prouver mon amour.

⚠️ **CAREFUL!**

Les pronoms en *some-*, *any-*, *no-* peuvent être suivis d'un adjectif. En français, on emploie « de » avant l'adjectif.

someone interesting nothing important
quelqu'un **d'**intéressant rien **d'**important

 Not... any et no : « pas de »

▶ *Not... any* (ou *-n't... any*) correspond à « pas de ». Attention : *any* n'est pas un mot négatif. Pour exprimer « ne pas », il doit être accompagné de *not*.

• I don't have **any** money. And I don't have **any** friends.
Je n'ai pas d'argent. Et je n'ai pas d'amis.

• We haven't bought **any** stamps.
Nous n'avons pas acheté de timbres.

◗ « Pas de » se traduit très souvent par *not... any*. Mais on peut aussi utiliser « *no* + nom ». Avec « *no* + nom », le verbe est à la forme affirmative.

not + any + nom	no + nom
I don't have any money.	I have no money.
I don't have any friends.	I have no friends.

 CAREFUL!

Après *some*, *any* et *no*, les noms **indénombrables** s'emploient au **singulier** (*no money*) et les noms **dénombrables** au **pluriel** (*no friends*).

 **Training**

2 Complète ces phrases à l'aide de *some* ou de *any*.

1. I need........ help.

2. "Do you need........ help?" "No, thank you. I don't need........ help."

3. "Here is........ money for the bus." "I don't want......... ."

4. "Shut up!" "I didn't say........ thing."

5. "Does she ever listen to........ advice we give?" "Never."

6. Do you want........ sugar with your coffee?

Corrigés p. 344

91 *None* : « aucun »

None veut dire « aucun », mais quand « aucun » signifie « aucun des deux », on le traduit par *neither* ▸ 94 .

- "How many books did you buy?" "**None**."
  « Combien de livres as-tu achetés ? – Aucun. »

- **None** of my friends called me.
  Aucun de mes amis ne m'a téléphoné.

- I have two tablets. **Neither** is charged.
  J'ai deux tablettes. Aucune des deux n'est rechargée.

92 *Not... any more* : « ne... plus »

B1

● *Not... any more* se traduit par « ne... plus ». *Any more* se place à la fin de la phrase.

> ◦ I **don't** like this team **any more** (**anymore**).
> Je n'aime plus cette équipe.

> ◦ We **can't** wait **any more** (**anymore**).
> Nous ne pouvons plus attendre.

● On peut remplacer *more* par *longer*.

> ◦ I **don't** like this team **any longer**.
> ◦ We **can't** wait **any longer**.

« Nous ne pouvons plus attendre. »

Training

3 Remplace *not... any* par *no* et inversement.

We don't use any additives. → *We use no additives.*

1. I didn't see anybody this morning.

....

2. "They said nothing." "Well, they had nothing to say."

....

3. Julia didn't go anywhere during the Easter break.

....

4. You didn't eat anything. Are you sick?

....

Corrigés p. 344

GRAMMAIRE • LE NOM

Both, either et neither

Avec *both*, *either* et *neither*, on parle de deux objets ou de deux personnes.

93 *Both* : « les deux »

● *Both* /bəʊθ/ peut être suivi d'un nom.

> • Keep **both hands** on the handlebars!
> Garde les deux mains sur le guidon !

● On peut utiliser un déterminant possessif (*my*, *your*...) entre *both* et le nom.
Attention à l'ordre des mots : « *both* + possessif + nom ».

> • Both **my** parents are teleworkers.
> Mes deux parents sont télétravailleurs.

● Quand *both* porte sur un pronom, deux constructions sont possibles : « pronom sujet + *both* » ou « *both of* + pronom complément ».

> • **They both** resigned after the meeting.
> (**Both of them** resigned after the meeting.)
> Ils ont tous les deux démissionné après la réunion.

● *Both... and* est l'équivalent de « à la fois... et ».

> • She was **both** tired **and** excited.
> Elle était à la fois fatiguée et enthousiaste.

94 *Either* : « l'un ou l'autre », *neither* : « aucun des deux »

● *Either* /ˈaɪðə/ et *neither* /ˈnaɪðə/ peuvent être suivis d'un nom.

> • "Monday or Tuesday?" "**Either** (day) is fine."
> « Lundi ou mardi ? – L'un ou l'autre (jour) me convient. »

> • I have two laptops. **Neither** (laptop) works properly.
> J'ai deux ordinateurs portables. Aucun des deux (ordinateurs) ne marche bien.

CAREFUL!

« Aucun » se traduit habituellement par *none* ▶91, mais « aucun des deux » se traduit par *neither*.

◗ On utilise *neither of* devant un pronom ou un déterminant.

- It was a good restaurant, but neither of **them** was hungry.
  C'était un bon restaurant, mais aucun des deux n'avait faim.

- Neither of **my** parents was invited.
  Mes parents n'ont été invités ni l'un, ni l'autre.

◗ *Either... or* signifie « soit , soit », *neither... nor* « ni..., ni...».

- He's **either** at home **or** at school.
  Il est soit à la maison, soit à l'école.

- They speak **neither** French **nor** English.
  Ils ne parlent ni français, ni anglais.

 **Training**

1 **Complète ces phrases à l'aide de *both*, *either* (...or) ou *neither* (...nor).**

1. "Do you want a plastic or a metal knife?" " .... is fine."

2. "You've got two computers, but .... works properly."
"I know but I need them ...."

3. Kim is .... American and European.

4. She lives .... with her brother .... with her uncle, I don't remember which.

5. She has many qualities, but she is .... very open-minded, ... funny.

6. "This afternoon, do you want to go swimming or skating?"
"................. I don't care."

Corrigés p. 344

A lot, much, many, little, few

« Nous sortons beaucoup. »

95 A lot (of)

▶ *A lot (of)* signifie « beaucoup (de) ». On peut employer *lots of* à la place de *a lot of*.

- We go out **a lot**.
  Nous sortons beaucoup.

- I've got **a lot of** money and **a lot of** friends!
  (I've got **lots of** money and **lots of** friends!)
  J'ai beaucoup d'argent et beaucoup d'amis !

▶ *Quite a lot (of)* signifie « pas mal (de) ».

- We go out **quite a lot**, because we have **quite a lot of** money.
  Nous sortons pas mal, parce que nous avons pas mal d'argent.

96 Much et many

Much et *many* signifient aussi « beaucoup ». Mais leurs emplois sont très différents.

▶ *Many* s'emploie **toujours** avec un nom **pluriel** dans tous les types de phrases.

- I've got **many** friends.
  J'ai beaucoup d'amis.

▶ *Much* s'emploie seul ou avec un nom **singulier**, dans les phrases négatives et interrogatives, presque jamais dans les phrases affirmatives.

- I haven't got **much** money.
  Je n'ai pas beaucoup d'argent.

- Do you go out **much**?
  Vous sortez beaucoup ?

CAREFUL!

On ne peut pas se tromper avec *a lot (of)*, car on peut l'utiliser dans tous les types de phrases ! En plus, on n'a pas besoin de se demander si le nom est singulier ou pluriel !

97 *Too much/too many, as much/as many, so much/so many*

La différence entre *much* et *many* vaut également pour *too much/ too many*, *as much/as many* et *so much/so many*.

🔴 *Too much* signifie « trop ». Il peut être suivi d'un nom **singulier** (trop de). *Too many* signifie aussi « trop de », mais il est toujours suivi d'un nom **pluriel**.

- You work **too much**.
  Tu travailles trop.
- There's **too much noise**.
  Il y a trop de bruit.
- There are **too many** television **channels**.
  Il y a trop de chaînes de télévision.

🔴 « *As much* + nom **singulier** + *as* » et « *as many* + nom **pluriel** + *as* » signifient « autant de... que ».

- We have **as much money as** you.
  Nous avons autant d'argent que vous.
- We have **as many friends as** you.
  Nous avons autant d'amis que vous.

🔴 *So much* signifie « tellement ». Il peut être employé seul ou suivi d'un nom **singulier** (tellement de). *So many* signifie aussi « tellement de » mais il est toujours suivi d'un nom **pluriel**.

- They talk **so much**!
  Ils parlent tellement !
- I've never seen **so much money** in my life.
  Je n'ai jamais vu autant d'argent de ma vie.
- There are **so many things** I want to say.
  Il y a tellement de choses que je veux dire.

Training

1 Coche la proposition qui convient.

1. She always has ❑ much ❑ a lot ❑ many things to say.

2. I haven't got ❑ much ❑ many time, so please be quick!

3. Tom doesn't like her ❑ much ❑ many, but he seems to have ❑ a lot of ❑ so much things to tell her!

4. I can't hear! There are ❑ much ❑ too much ❑ too many people!

Corrigés p. 344

98 *A little* et *a few*

▶ « *A little* + nom **singulier** » signifie « un peu de ». On peut remplacer *a little* par *a bit of*.

• I've got **a little** time. (I've got **a bit of** time.)
J'ai un peu de temps.

« *Enough* + nom » est proche de *a little* et signifie « assez de ».

• Do we have **enough time** to do all this?
Est-ce qu'on a assez de temps pour faire tout ça ?

▶ « *A few* + nom **pluriel** » signifie « quelques ».

• I've got **a few friends**.
J'ai quelques amis.

Several est proche de *a few* et signifie « plusieurs ».

• I've got **several** close **friends**.
J'ai plusieurs amis proches.

▶ On peut employer *a little* et *a few* sans nom. Dans ce cas, *a little* se traduit par « un peu » et *a few* par « quelques-uns ».

• ''Do you speak German?'' ''Yes, **a little**.''
« Tu parles allemand ? – Oui, un peu. »

• ''How many messages did you get?'' ''Just **a few**.''
« Tu as reçu combien de messages ? – Juste quelques-uns. »

◗ « *A little* + adjectif » signifie « un peu + adjectif ». On peut remplacer *a little* par *a bit*.

> • We're **a little** tired. (We're **a bit** tired.)
> Nous sommes un peu fatigués.

99 *Little* et *few*

◗ « Ø *little* + nom **singulier** » et « Ø *few* + nom **pluriel** » signifient « Ø peu de ».

> • We have **little money** but we're happy.
> Nous avons peu d'argent mais nous sommes heureux.
> • It's good: there are **few mistakes**.
> C'est bien : il y a peu d'erreurs.

◗ Différence entre *a little* et *little* et entre *a few* et *few* :

petite quantité	quantité insuffisante
a little (un peu)	Ø little (peu)
a few (quelques)	Ø few (peu)

2 Complète ces phrases à l'aide de *little*, *a little*, *few* ou *a few*.

1. Unfortunately, there are .... people. It's a pity.

2. There are .... people. It's not too bad.

3. They are .... angry because of what you've done.

4. They have very .... money.

5. This meat needs .... salt, but not too much.

6. She gave me .... books after her father's death.

7. I know I can finish this exercise, but I need .... time.

Corrigés p. 344

All, every, each et most

Avec *all*, *every* et *each*, on s'intéresse à la **totalité** (tout, chaque), mais ces trois mots ne s'emploient pas de la même façon. *Most* en est proche quand il signifie « la plupart ».

100 *All* : « tout, toute, tous, toutes »

▶ *All* correspond à « tout, toute, tous, toutes ».

- **All** my girlfriends came to the party.
  Toutes mes amies sont venues à la fête.
- They talked **all** the time.
  Ils ont parlé tout le temps.

▶ Pour dire « tous les... » en anglais, on emploie « *all* + nom » si on parle d'un groupe **en général** et « *all the* + nom » si on parle d'un groupe **en particulier**.

- **All** children like fairy tales.
  Tous les enfants aiment les contes de fées.
- **All the** children in this class like fairy tales.
  Tous les enfants de cette classe aiment les contes de fées.

 CAREFUL!

À la forme négative, on emploie *not all*.

Not all children like fairy tales.
(~~All children don't like~~ fairy tales.)
Tous les enfants n'aiment pas les contes de fées.

▶ On peut employer *all of* à la place de *all* avant un déterminant. On peut donc dire *all my girlfriends* ou *all of my girlfriends*.

▶ Avant un pronom personnel, *of* est obligatoire : *all **of** us* (nous tous), *all **of** you* (vous tous), *all **of** them* (eux tous).

101 *Every* et *each* : « chaque »

▶ *Every* correspond à « chaque ». *Every*, comme « chaque », est **toujours** suivi d'un nom **singulier**. Quand « *every* + nom » est sujet, le verbe s'accorde à la 3e personne du singulier.

> • Every train **has** six carriages.
> Chaque train a six voitures.

Il ne faut pas confondre *every* et *all*.

every day	every morning	every time
chaque jour	chaque matin	à chaque fois
all day	all morning	all the time
toute la journée	toute la matinée	tout le temps

▶ Avec *each*, on insiste sur **chaque unité**. Le sens est plus proche de « chacun ».

> • **Each** train has six carriages.
> Chaque train a six voitures. [Chacun des trains...]

▶ Alors qu'*every* est obligatoirement suivi d'un nom, *each* peut s'employer seul.

> • **Each** has six carriages. (~~Every~~ has six carriages.)
> Chacun a six voitures.

Training

1 Choisis la bonne solution.

1. My friends work ❏ every time ❏ all the time.

2. I was in bed ❏ every morning ❏ all morning. That's why I didn't see you this morning.

3. Every school ❏ have ❏ has a playground.

4. ❏ All the neighbours ❏ Every neighbour were invited.

5. I go to school ❏ all day ❏ every day of the week but not on Sundays!

6. They ❏ all ❏ every one came to the party, but ❏ every ❏ each guest brought a different present.

Corrigés p. 344

102 Les composés en *every-*

everybody ou *everyone* Everyone is here.
(tout le monde) Tout le monde est là.

everything Everything went well.
(tout, toutes les choses) Tout s'est bien passé.

everywhere I've looked everywhere and I can't find it.
(partout) J'ai regardé partout et je ne le trouve pas.

103 *Most* : « la plupart de »

B1

▶ *Most* est suivi directement du nom.

• **Most children** like fairy tales.
La plupart des enfants aiment les contes de fées.

• **Most people** support that idea.
La plupart des gens soutiennent cette idée.

▶ Avant un déterminant ou un pronom, *of* est obligatoire.

• **Most of the children** like fairy tales.
La plupart des enfants aiment les contes de fées.

• **Most of them** support that idea.
La plupart d'entre eux soutiennent cette idée.

▶ Il ne faut pas confondre *most* (la plupart de) et *the most* (le plus) ▶133 .

Training

2 Complète à l'aide de *all*, *each*, *every* ou *most*.

1. .... people were present. I think ninety percent were here.

2. .... of them are happy with the results. Yes, one hundred percent are happy!

3. These paintings are dear to me........... has its own history.

4. I looked .... where for my mobile phone.

Corrigés p. 344

Les nombres

Les nombres **cardinaux** permettent de compter (412 euros).
Les nombres **ordinaux** permettent de classer dans un ordre
(1er, 2e…).

104 Formes des nombres cardinaux et ordinaux

	cardinaux		ordinaux
1	one	1st	first
2	two	2nd	second /sekənd/
3	three	3rd	third
4	four	4th	fourth
5	five /faɪv/	5th	fifth /fɪfθ/
6	six	6th	sixth
7	'seven	7th	'seventh
8	eight /eɪt/	8th	eighth /eɪtθ/
9	nine /naɪn/	9th	ninth /naɪnθ/
10	ten	10th	tenth
11	e'leven	11th	e'leventh
12	twelve	12th	twelfth /twelfθ/
13	thir'teen	13th	thir'teenth
14	four'teen	14th	four'teenth
15	fif'teen /fɪftiːn/	15th	fif'teenth
16	six'teen	16th	six'teenth
17	seven'teen	17th	seven'teenth
18	eigh'teen	18th	eigh'teenth
19	nine'teen	19th	nine'teenth
20	'twenty	20th	'twentieth /twentiəθ/
21	twenty-'one	21st	twenty-'first
30	'thirty	30th	'thirtieth
40	'forty	40th	'fortieth
50	'fifty	50th	'fiftieth
60	'sixty	60th	'sixtieth
70	'seventy	70th	'seventieth
80	'eighty	80th	'eightieth
90	'ninety	90th	'ninetieth
100	a/one 'hundred	100th	'hundredth
1000	a/one 'thousand	1000th	'thousandth

● On ajoute -*th* aux nombres cardinaux pour former les nombres ordinaux, sauf pour **first** (premier), **second** (deuxième) et **third** (troisième) et leurs dérivés (*twenty-first*...).

● Attention à l'orthographe des nombres suivants : *fifth, eighth, ninth, twelfth, twentieth, forty* (et non ~~fourty~~).

● -*teen* est accentué alors que -*ty* n'est jamais accentué.

105 Emploi des nombres cardinaux et ordinaux

● On emploie **and** entre *hundred, thousand, million* et les nombres de 1 à 99. On utilise la virgule pour séparer les milliers. En anglais américain, *and* est facultatif.

356	three hundred **and** fifty-six
1,001	one thousand **and** one
1,000,020	one million **and** twenty

● *Dozen* (douzaine), *hundred* (cent), *thousand* (mille) et *million* (million) sont **invariables** quand ils sont précédés d'un chiffre.

four **dozen** eggs
quatre douzaines d'œufs
five **hundred** people
cinq cents personnes

● *Dozen, hundred, thousand* et *million* sont **variables** quand ils sont employés comme des noms, au sens de « des douzaines », « des centaines », « des milliers », « des millions ». Dans ce cas, ils prennent le -**s** du pluriel.

hundreds of complaints
des centaines de plaintes
millions of animals
des millions d'animaux

● On emploie des **ordinaux** pour les noms de rois et de papes. On écrit : *Queen Elizabeth II* (la reine Élizabeth II), *Pope Benedict XVI* (le pape Benoît XVI), mais on dit : *Queen Elizabeth the Second* et *Pope Benedict the Sixteenth*.

🔴 *0* se dit zero /ˈzɪərəʊ/.

  • My extension is **050** in room **601**.
    [zero five zero]   [six zero one]
    Mon poste est le 050, chambre 601.

Dans les numéros de téléphone, 0 peut aussi se prononcer comme Oh /əʊ/.

106 Les fractions et les décimales

🔴 Voici quelques fractions d'usage courant.

  1/4 : a quarter (un quart)
  1/3 : a third (un tiers)
  1/2 : a half (un demi)
  3/4 : three quarters (trois quarts)

🔴 Il faut faire attention à l'ordre des mots avec *half*.

(in) **half** an hour	Ø **half** (of) the students
(dans) une demi-heure	la moitié des étudiants
an hour and a **half**	Ø **half** (of) my money
une heure et demie	la moitié de mon argent

🔴 Les **décimales** se lisent chiffre par chiffre. On utilise un **point** avant les décimales, et non une virgule comme en français.

  6.56: six point five six
  6,56 : six virgule cinquante-six

Training

1 Écris en toutes lettres.

1. 542 :..

2. 1,014 :...

3. 10,306 :...

4. 400 inhabitants :..

5. King James VI :...

6. 2/3 of the population :..

Corrigés p. 344

107 L'ordre des mots avec *first*, *last*, *next* et *other*

Le cardinal se place **après l'ordinal** et après *last*, *next* et *other*.

the <u>first</u> **twenty** members
les **vingt** <u>premiers</u> membres
the <u>next</u> **four** days
les **quatre** <u>prochains</u> jours
the <u>last</u> **ten** chapters
les **dix** <u>derniers</u> chapitres
the <u>other</u> **thousand** dollars
les **mille** <u>autres</u> dollars

108 Lire et écrire les dates

▶ Les années se lisent par groupes de deux chiffres.

1800 : eighteen hundred
1945 : nineteen forty-five

mais :

2000 : two thousand
2009 : two thousand and nine
2020 : two thousand and twenty (*ou* twenty twenty)

▶ Les jours s'écrivent de deux façons :

27 *ou* 27th May 1999   May 27, 1999
[anglais britannique]   [anglais américain]

▶ On lit :

the twenty-seven**th of** May, nineteen ninety-nine
[anglais britannique]
May (the) twenty-seven**th**, nineteen ninety-nine
[anglais américain]

Les noms de jours et de mois prennent toujours une majuscule en anglais, contrairement au français.

 Careful!

2.9.18 (ou 2/9/18) signifie le 2 septembre 2018 en anglais britannique et le 9 février 2018 en anglais américain !

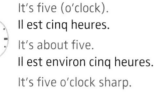

GRAMMAIRE • LE NOM

109 Dire l'heure

▶ Pour demander l'heure, on dit :

• What time is it?
Quelle heure est-il ?

▶ On répond :

5:00 It's five (o'clock).
Il est cinq heures.
It's about five.
Il est environ cinq heures.
It's five o'clock sharp.
Il est cinq heures précises.

7:15 It's seven fifteen.
Il est sept heures quinze.
It's a quarter past seven.
Il est sept heures et quart.

9:45 It's nine forty-five.
Il est neuf heures quarante-cinq.
It's a quarter to ten.
Il est dix heures moins le quart.

4:03 It's four oh three.
(It's three minutes past four.)
Il est quatre heures trois.

12:00  It's noon.
(It's midday.)
Il est midi.
It's midnight.
Il est minuit.

10:30 It's ten thirty.
Il est dix heures trente.
It's half past ten.
Il est dix heures et demie.

1:57 It's one fifty-seven.
Il est une heure cinquante-sept.
It's three minutes to two.
Il est deux heures moins trois.

⚠ CAREFUL!

Lorsqu'on donne l'heure entre midi et minuit, on ajoute **p.m.** /piːem/.
Pour le matin, on précise **a.m.** /eɪem/.

8 p.m. (8 heures du soir, 20 heures)
4 a.m. (4 heures du matin)

Training

2 Écris en toutes lettres les heures indiquées par ces horloges.

1. ....
....

2. ....

3. ....
....

4. ....
....

5. ....
....

6. ....

Corrigés p. 345

L'emploi de *one*

🔵 *One* est l'équivalent du chiffre « un ». Mais il sert aussi à reprendre un nom, tout comme « un » dans « j'en veux **un** ».

- She has an ice cream. I want **one** too!
  Elle a une glace. J'en veux une, moi aussi !

🔵 On emploie aussi *one* après un **adjectif**.

- This is a big cake. Can I have **a small one**?
  (Can I have ~~a small~~?)
  C'est un gros gâteau. Je peux en avoir un petit ?

⚠ CAREFUL!

En français, on peut dire « un + adj. » ou « le + adj. » : « un petit ».
En anglais, on est obligé d'ajouter *one* après l'adjectif : *a small one*.

🔵 Au pluriel, on emploie *ones*.

- These cakes are too big. Can I have some small **ones**?
  Ces gâteaux sont trop gros. Je peux en avoir des petits ?

GRAMMAIRE • LE NOM

▶ *Which one?* correspond à « Lequel ? » et *Which ones?* à « Lesquels ? » ▶ 148 .

- **Which one** do you want?
  Laquelle voulez-vous ?
- **Which ones** do you want?
  Lesquelles voulez-vous ?

B1 ▶ « Un autre » se dit *another one*, « l'autre » *the other one* et « d'autres » *some other ones*.

- Give me **another one/the other one**.
  Donne-m'en un autre./Donne-moi l'autre.
- Give me **some other ones**.
  Donne-m'en d'autres.

▶ *The one that* correspond à « celui qui/que » et *the ones that* à « ceux qui/que ».

- Give me **the one that** is behind you.
  Donne-moi celle qui est derrière toi.
- I prefer **the ones that** you bought.
  Je préfère celles que tu as achetées.

« Première ! » « Deuxième ! » « Troisième ! » « Quatrième ! »

Les pronoms personnels

Un pronom est un petit mot grammatical qui remplace un nom ou un groupe nominal. Les pronoms personnels sont très fréquents. Il est essentiel de ne pas confondre les pronoms personnels **sujets** et les pronoms personnels **compléments**.

111 Les pronoms personnels : *I, me...*

▶ Les pronoms personnels **sujets** s'emploient comme en français, mais le pronom *I* s'écrit toujours avec une majuscule.

I know George.	**Je** connais George.
You know George.	**Tu** connais George. **Vous** connaissez George.
He knows George.	**Il** connaît George.
She knows George.	**Elle** connaît George.
We know George.	**Nous** connaissons George.
They know George.	**Ils** connaissent George.

L'équivalent de « moi, je… » est simplement *I*, qui est accentué à l'oral. À l'écrit, on souligne *I* pour signaler qu'il est accentué.

- "I agree." "Well, I don't!"
  « Je suis d'accord. – Moi non ! »

▶ Les pronoms personnels **compléments** s'emploient aussi comme en français. Mais en anglais on garde l'ordre « sujet + verbe + complément ».

George knows **me**.	George **me** connaît.
George knows **you**.	George **te** connaît. George **vous** connaît.
George knows **him**.	George **le** connaît.
George knows **her**.	George **la** connaît.
George knows **us**.	George **nous** connaît.
George knows **them**.	George **les** connaît.

◗ Après une préposition, on emploie les pronoms personnels compléments : *with* **me** (avec moi), *to* **her** (à elle), *for* **him** (pour lui), *on* **them** (sur eux).

112 Le pronom personnel *it*

◗ *He* renvoie à un garçon ou à un homme, *she* à une fille ou à une femme. Si on ne parle pas d'êtres humains, il faut utiliser *it*. Il faut donc faire attention à la traduction de « il », « elle ».

> • Pass me the towel. **It** is behind you.
> Passe-moi la serviette. Elle est derrière toi.

Mais on peut employer *he* ou *she* pour des animaux familiers.

> • Where is Beauty? **She**'s not in her kennel.
> Où est Beauty ? Elle n'est pas dans sa niche.

◗ On utilise « *it's* *(it is)* + pronom » comme « c'est + pronom ». Après *it's*, on emploie les pronoms personnels compléments.

> • It's **me**.
> C'est moi.

◗ *It* peut aussi correspondre au pronom impersonnel « il ».

> • **It**'s three o'clock. **It**'s late. **It**'s time to go.
> Il est trois heures. Il est tard. Il est temps de partir.

> • **It**'s raining. No, **it**'s snowing! **It**'s so cold.
> Il pleut. Non, il neige ! Il fait si froid.

◗ On trouve aussi *it's* suivi d'un adjectif et de *to*. En français, on emploie dans ce cas « Il est » ou « C'est ».

> • **It's impossible to** answer their question.
> Il est impossible (C'est impossible) de répondre à leur question.

> • **It's nice to** trust people.
> C'est agréable de faire confiance aux gens.

Les possessifs

Les possessifs permettent de dire à qui appartient quelque chose. Attention à la différence entre les **déterminants** possessifs (*my* : mon, ma, mes) et les **pronoms** possessifs (*mine* : le mien, la mienne, les miens, les miennes).

113 Les déterminants possessifs : *my, your...*

Déterminants possessifs	
my	mon/ma/mes
your	ton/ta/tes - votre/vos
his/her/its	son/sa/ses
our	notre/nos
their	leur/leurs

▶ Les déterminants possessifs sont suivis d'un nom.

my bag	**my** car	**my** emails
mon sac	ma voiture	mes e-mails
your bag	**your** car	**your** emails
ton sa/votre sac	ta/votre voiture	tes/vos e-mails

▶ On accorde le déterminant possessif avec le **possesseur**. Quand on veut traduire « son, sa, ses », il faut donc d'abord savoir si le possesseur est une femme, un homme ou un objet.

possesseur **masculin** → *his*	possesseur **féminin** → *her*	possesseur **neutre** → *its*
his shoe	her shoe	its shoes
sa chaussure	sa chaussure	ses chaussures

 **Training**

1 Observe le dessin puis complète avec le possessif qui convient.

Samantha is 15.............favorite sport is cycling.............bike is
very expensive,............colours are orange and pink. As for Bob,
............brother,............favorite "sport" is driving! He is very
proud of............new car. ....colour is green.

> Corrigés p. 345

114 Les pronoms possessifs : *mine, yours...*

Pronoms possessifs	
mine	le mien, la mienne, les miens, les miennes
yours	le tien, la tienne, les tiens, les tiennes *ou* le vôtre, la vôtre, les vôtres
his/hers/its	le sien, la sienne, les siens, les siennes
ours	le nôtre, la nôtre, les nôtres
theirs	le leur, la leur, les leurs

◗ Un pronom possessif remplace un déterminant possessif + nom.

• This is my bike. **Yours** is here. [*Yours = your bike*]
  C'est mon vélo. Le tien est là.

◗ Il a une seule forme sauf à la 3ᵉ personne du singulier.
- Don't touch this computer. It's **mine**.
  Ne touche pas à cet ordinateur. C'est le mien.
- Don't touch these DVDs. They are **mine**.
  Ne touche pas à ces DVDs. Ce sont les miens.

◗ À la 3ᵉ personne du singulier, il faut savoir si l'on parle d'un possesseur **masculin** (*his*) ou **féminin** (*hers*).
- Don't touch these comic strips. They are **his**. [*his = Paul's*]
  Ne touche pas à ces bandes dessinées. Ce sont **les siennes**.
- Don't touch these comic strips. They are **hers**. [*hers = Lola's*]
  Ne touche pas à ces bandes dessinées. Ce sont **les siennes**.

◗ Les pronoms possessifs permettent aussi de répondre à une question en **Whose?** ▶148.
- "Whose wallet is this?" "It's **yours**!"
  « À qui est ce portefeuille ? – C'est le tien ! »

(B1) ◗ « Un... à moi », « un... à elle » se dit « *a... of* + pronom possessif ».

a friend of mine	a cousin of hers
un ami à moi	un cousin à elle

A friend of John's ▶117

Training

2 **Les élections des délégués approchent. Complète ce dialogue avec des pronoms personnels ou des déterminants possessifs.**

Aziz – "Hello, everybody. .... name is Aziz. .... am 15. Some of you already know .... Do .... have any questions?"

Alwena – "Yes, Aziz, why do .... want to be .... representative (*délégué*)? What are .... ideas?"

Aziz – "I can't summarize .... in one sentence. But .... am here with Michelle. Listen to .... ideas. And James is here too. We'll listen to .... ideas later."

Corrigés p. 345

Génitif ('s) et « nom + *of* + nom »

Il existe deux façons principales de relier deux noms : le **génitif** (**'s**) et *of*. Il faut savoir dans quels cas on emploie le génitif et dans quels cas on utilise *of*.

115 Comment former le génitif ?

● Le génitif sert à exprimer la **possession** ou un **lien de parenté**. On mentionne d'abord le **possesseur** puis la chose possédée. L'ordre des mots est donc l'inverse du français.

John's computer   John's parents

l'ordinateur de John   les parents de John

● Si le nom du possesseur est au singulier, on ajoute **'s**. Si le nom du possesseur est au pluriel, on ajoute **'**.

nom singulier + 's	nom pluriel + '
my mother's car	my parents' car
la voiture de ma mère	la voiture de mes parents
John's watch	my friends' books
la montre de John	les livres de mes amis

Le **'s** du génitif se prononce comme le **-s** du pluriel ▶76 .

● Si le nom du possesseur est un nom propre qui se termine par **-s**, on ajoute **'s**.

James's money
l'argent de James

● Si le nom du possesseur est un pluriel irrégulier, on ajoute **'s**.

the children's bedroom
la chambre des enfants
these women's offices
les bureaux de ces femmes

● Le génitif joue le même rôle que les déterminants possessifs. Il occupe donc la même place.

John's watch	**my mother's** car	**my parents'** car
his watch	**her** car	**their** car

● Quand on parle de possession, c'est parfois au sens très large du terme.

Joe's parents
les parents de Joe
[On a bien des parents, mais on ne les possède pas !]
Joe's ears
les oreilles de Joe
[On a bien des oreilles, mais on ne les possède pas vraiment !]

116 Faut-il un déterminant avant le génitif ?

● Pas de déterminant en français avant le possesseur → pas de déterminant en anglais

la montre de _ John
_ John's watch

● Déterminant en français avant le possesseur → déterminant en anglais

la voiture de <u>la</u> voisine
<u>the</u> neighbour's car

la voiture de <u>mes</u> parents
<u>my</u> parents' car

 Careful!

Si « des » exprime une généralité, on emploie l'article zéro.

_ homeless people's problems
les problèmes <u>des</u> sans-abri

Training

1 **Reformule en utilisant un génitif et l'amorce proposée.**

1. This <u>bike</u> belongs to <u>Jane</u>. It is ....

2. <u>My parents</u> own this <u>hotel</u>. It is ....

3. <u>Frances</u> is the owner of those <u>books</u>. They are ....

4. <u>These children</u> have <u>recipes</u>, and here are ....

5. These <u>mugs</u> belong to <u>the Smiths</u>. They are ....

6. <u>My cousin</u> has <u>a new pair of shoes</u>. Look, this is ....

Corrigés p. 345

117 Quand le nom est sous-entendu après le génitif

🔵 Le nom peut être sous-entendu après le génitif quand on répond à une question (whose ▶ 148).

> • "Is this Anwar's car?" "No, it's Laurie's."
> « Est-ce que c'est la voiture d'Anwar ? – Non, c'est celle de Laurie. »

> • "Whose pen is this?" "It's Diana's."
> « À qui est ce stylo ? – Il est à Diana. »

🔵 Le nom d'églises, de cathédrales et d'hôpitaux est souvent sous-entendu après un génitif.

Saint Paul's (Cathedral)   Saint Mary's (Hospital)
la cathédrale Saint-Paul   l'hôpital Sainte-Marie

🔵 On peut employer le génitif pour traduire « **chez** ». Le nom (*house* ou *apartment*) est sous-entendu.

> • "Are you **at David's**?" "No, I'm **at Deng's**."
> « Tu es chez David ? – Non, je suis chez Deng. »

🔵 C'est aussi le cas avec les noms de métiers (▶ 244 et 252).

go to the **baker's**   go to the **doctor's**
aller chez le boulanger   aller chez le médecin

Mais on dit aussi *go to the baker, go to the doctor.*

◗ Le nom est sous-entendu après le « double génitif ».
Le double génitif sert à traduire « un... de + nom de personne ».

a friend **of John's**   a cousin **of the King's**
un ami de John   un cousin du Roi

Mais on peut aussi dire *a friend of John*, *a cousin of the King*.

118 La construction « nom + *of* + nom »

◗ La construction « nom + *of* + nom » existe comme en français
« nom + de + nom ». L'ordre des mots est le même.

a cup **of** coffee   a bowl **of** cereal
une tasse de café   un bol de céréales

◗ Il y a donc deux façons de traduire « nom + **de** + nom » : « nom +
of + nom » ou le génitif.

119 « Nom + *of* + nom » ou génitif ?

◗ Quand on parle d'une possession, d'un lien de parenté ou d'une
caractéristique physique, le génitif est **obligatoire**.

• That's **my father's** car. (That's ~~the car of my father~~.)
  C'est la voiture de mon père.
• I know **John's** wife. (I know ~~the wife of John~~.)
  Je connais la femme de John.
• **Linda's** hair is black. (~~The hair of Linda~~ is black.)
  Les cheveux de Linda sont noirs.

◗ Le génitif n'est **possible** que si le nom au génitif est :

– une personne ou un animal

my friends' books   **my cat's** ears
les livres de mes amis   les oreilles de mon chat

– une collectivité d'individus ou un pays

the team's efforts   **England's** climate
les efforts de l'équipe   le climat de l'Angleterre

– une date (*today*, *tomorrow*) ou une unité de temps

yesterday's paper	**a month's** holiday
le journal d'hier	des vacances d'un mois

▶ Dans les autres cas, on emploie « nom + *of* + nom ».

a bottle **of** water	the name **of** this town
une bouteille d'eau	le nom de cette ville
the door **of** the car	the top **of** the page
la portière de la voiture	le haut de la page

Training

2 **Relie les mots suivants à l'aide d'un génitif 's ou de *of*.
Dans quel cas faut-il utiliser *of* ?**

John 's... jacket   a cup of... tea

1. Kim ...... husband

2. David ...... school

3. a bag ...... sweets

4. the teachers ...... decision

5. a bottle ...... lemonade

6. my grandparents ...... summer house

7. the king ...... cousins

Il faut utiliser *of* quand ....

Corrigés p. 345

Pronoms réfléchis et réciproques

They are looking at themselves. They are looking at each other.
Ils se regardent. Ils se regardent.

Le pronom **réfléchi** renvoie au sujet du verbe : il « réfléchit » le sujet, comme un miroir. Le pronom **réciproque** exprime l'idée de « l'un l'autre » ou « les uns les autres ».

120 Les pronoms réfléchis : *myself*...

pronoms personnels sujets	pronoms réfléchis
I	myself
you	yourself [une personne]
he	himself
she	herself
it	itself
we	ourselves
you	yourselves [plusieurs personnes]
they	themselves

La syllabe -*self*/-*selves* est toujours accentuée dans ces mots.

◗ Les pronoms réfléchis renvoient au sujet du verbe.

• Sam is looking at himself. Sam se regarde.

▶ Voici quelques verbes qui s'emploient avec un pronom réfléchi.

- You've hurt yourself!
  Tu t'es blessé !

- That was great! We really enjoyed ourselves.
  C'était génial ! On s'est vraiment bien amusés.

- Help yourself, Ken. Julie and Anwar, help yourselves too.
  Sers-toi, Ken. Julie et Anwar, servez-vous aussi.

 CAREFUL!

Certains verbes sont réfléchis en français (se + verbe) mais pas en anglais : *get dressed* (s'habiller), *relax* (se détendre)...

I can't relax when I wake up early.
Je n'arrive pas à me détendre quand je me lève tôt.

▶ Les pronoms réfléchis peuvent avoir valeur d'insistance. Ils correspondent alors à « moi-même », « toi-même ».

- You can do it **yourself**.
  Tu peux le faire toi-même.

- I sometimes talk to **myself**.
  Parfois, je me parle à moi-même.

▶ L'expression *by myself, by yourself*... signifie « tout seul ».

- I went home **by myself**.
  Je suis rentré tout seul.

 Training

1 Complète ces phrases par un pronom réfléchi.

John is talking to himself.....

1. Great party! I think they enjoyed................ .

2. Christopher is looking at................ .

3. Darling, did you hurt............... ?

4. OK, children, help................ to more cake.

5. I sent an email to............... .

6. My brother and I consider............... as the most intelligent of the family.

Corrigés p. 345

121 ## Les pronoms réciproques : *each other* et *one another*

 B1

▶ *Each other* signifie « l'un l'autre » ou « les uns les autres ».

- • Tom and Liz love **each other**.
  Tom et Liz s'aiment.
  [Tom aime Liz et Liz aime Tom.]

- • Leila and I talk to **each other** every day.
  Leila et moi, nous nous parlons tous les jours.
  [Leila me parle et je parle à Leila.]

▶ On peut employer *one another* à la place de *each other*.

- • Tom and Liz love **one another**.
- • Leila and I talk to **one another** every day.

⚠ CAREFUL!

« Se + verbe » en français peut être réfléchi (mêmes personnes) ou réciproque (deux personnes différentes). En anglais, on fait la différence.

They are looking at themselves.	≠	They are looking at each other.
Ils se regardent.		Ils se regardent.
[Chacun se regarde dans un miroir.]		[Ils se regardent l'un l'autre.]

 **Training**

2 Complète ces phrases par un pronom réfléchi, un pronom réciproque ou... rien du tout.

1. Barbie and Ken are getting married. They love ....

2. Liz congratulated Jo. And Jo congratulated Liz.

So, they congratulated ....

3. We're on holiday. Relax ....!

4. I didn't need any help. I did this exercise all by ....

Corrigés p. 345

Les adjectifs

Les adjectifs sont invariables. L'adjectif épithète se place avant le nom. Les adjectifs peuvent être suivis d'une préposition en anglais et en français, mais la préposition peut être très différente dans les deux langues.

122 Forme des adjectifs

▶ La plupart des adjectifs sont des mots simples : *small* (petit), *blue* (bleu), *easy* (facile).

▶ Certains adjectifs sont composés.

un- + adjectif	unhappy (malheureux) unpleasant (désagréable)
nom + *-ful*	beautiful (beau), useful (utile)
nom + *-less*	careless (négligent), useless (inutile)
nom + *-y*	dirty (sale), noisy (bruyant)
verbe + *-ing*	interesting (intéressant) surprising (surprenant)
verbe + *-ed*	interested (intéressé) surprised (surpris)

▶ Certains adjectifs sont formés de deux mots.

adjectif + V-*ing*	good-looking (beau)
nom + adjectif	navy-blue (bleu marine)
nom + participe passé	home-made (fait maison)
adverbe + participe passé	well-known (connu)

 CAREFUL!

Il ne faut pas confondre les adjectifs en « verbe + *-ing* » (à sens actif) et ceux en « verbe + *-ed* » (à sens passif).

depress**ing** ≠ depress**ed**   frighten**ing** ≠ frighten**ed**
déprimant ≠ déprimé   effrayant ≠ effrayé

● Les adjectifs sont **invariables**.

a **large** bed	a **large** table
un grand lit	une grande table
two **large** beds	two **large** tables
deux grands lits	deux grandes tables

● Quelques adjectifs s'emploient comme des noms pluriels. Ils sont alors précédés de l'article *the* (▶ 80).

the handicapped	**the** unemployed
les handicapés	les chômeurs
the homeless	**the** young
les sans-abri	les jeunes

⚠ **Careful!**

Les adjectifs employés comme des noms pluriels ne prennent pas de **-s** mais s'ils sont sujets, le verbe est au pluriel.

The poor often **live** in cities.
Les pauvres vivent souvent dans des grandes villes.

Emploi des adjectifs épithètes

● L'adjectif est **épithète** quand il est placé directement à côté du nom. En anglais, il se place **avant** le nom. En français, il se place avant ou après le nom.

a **large** bed	a **difficult** exercise
un **grand** lit	un exercice **difficile**

⚠ **Careful!**

Même avec *very* (très), *really* (vraiment) et les comparatifs, l'adjectif se place avant le nom.

a **really nice** guy	a **better** man
un gars vraiment sympa	un homme meilleur

🔹 Quand il y a plusieurs adjectifs épithètes, l'ordre est **TACO** (Taille, Âge, Couleur, Origine).

	Taille	Âge	Couleur	Origine		
a	small		black	British	car	une petite voiture noire britannique
a	tall	young		American	policeman	un grand et jeune policier américain

🔹 Les adjectifs de jugement (*beautiful*, *incredible*...) se placent le plus à gauche possible par rapport au nom.

a **beautiful** small black British car
une belle petite voiture britannique noire
a **clever** young American policewoman
une jeune policière américaine intelligente

124 Emploi des adjectifs attributs

🔹 Un adjectif attribut est relié au sujet par un verbe : *be* (être), *appear* (avoir l'air), *seem* (sembler).

 • These kids **are clever** and they **seem happy**.
   Ces enfants sont doués et ils ont l'air heureux.

🔹 Les verbes *feel*, *look*, *smell*, *sound* et *taste* peuvent être suivis d'un adjectif. Leur traduction dépend de l'adjectif.

look tired	sound interesting
avoir l'air fatigué	sembler intéressant
smell good	taste good
sentir bon	être bon [au goût]

🔹 Le verbe *get* peut aussi être suivi d'un adjectif. Il se traduit souvent par un verbe réfléchi en français.

get angry	get lost
se fâcher	se perdre
get dressed	get married
s'habiller	se marier

125 Adjectifs suivis d'une préposition

▶ Un adjectif attribut peut être suivi d'une préposition. Souvent, les prépositions ne sont pas les mêmes en anglais et en français : *pleased* **with** mais « content **de** ».

- She was **pleased with** her school report.
  Elle était contente de son bulletin scolaire.
- I'm very **good at** maths.
  Je suis très bon en maths.

▶ Voici quelques adjectifs courants suivis d'une préposition :

angry (en colère)		bad (mauvais)	
happy (heureux)	**about**	good (bon)	**at**
mad (dingue)		surprised (surpris)	
famous (célèbre)	**for**	different (différent)	**from**
responsible (responsable)		separate (séparé)	
interested (intéressé)	**in**	be afraid (avoir peur)	
disappointed (déçu)		be fond (bien aimer)	**of**
		be sick (en avoir assez)	
close (proche)		disappointed (déçu)	
kind (gentil)	**to**	pleased (content)	**with**
used (habitué)		satisfied (satisfait)	

Training

1 Complète ces phrases à l'aide d'une préposition (*of, in, about, for, from*).

1. Are you interested .... astronomy?

2. I'm not responsible .... my little brother.

3. I'm angry [en colère] .... their reaction.

4. She's very fond .... music.

5. Cooper is very different .... his sister.

Corrigés p. 345

126 Adjectifs de nationalité

● Adjectifs en *-an*

pays/continent	adjectif	un/une...	les...
Africa	African	an African	the Africans
America	American	an American	the Americans
Australia	Australian	an Australian	the Australians
Canada	Canadian	a Canadian	the Canadians
Europe	European	a European	the Europeans
India	Indian	an Indian	the Indians

● Adjectifs en *-sh* ou *-ch*

pays	adjectif	un/une...	les...
Britain	British	a British person	the British
England	English	an Englishman/woman	the English
France	French	a Frenchman/woman	the French
Ireland	Irish	an Irishman/woman	the Irish
Spain	Spanish	a Spanish person	the Spanish
Wales	Welsh	a Welshman/woman	the Welsh
Scotland	Scottish	a Scot	the Scots

● Adjectifs en *-ese*

pays	adjectif	un/une...	les...
China	Chinese	a Chinese	the Chinese
Portugal	Portuguese	a Portuguese	the Portuguese

● Les noms de nationalité se terminant par *-ch*, *-sh* ou *-ese* ne prennent **pas le *-s* du pluriel.**

the French	the English	the Chinese
les Français	les Anglais	les Chinois

● Les adjectifs et les noms de nationalité s'écrivent systématiquement avec une **majuscule**. En français, les adjectifs prennent une minuscule.

a German town
une ville allemande [adj.]

the Germans
les Allemands [nom de nationalité]

● Les noms *woman* et *man* sont **collés** aux adjectifs qui se terminent par -*ch* ou -*sh*.

an Englishwoman
une Anglaise

a Frenchman
un Français

Training

2 Choisi la traduction qui convient pour les adjectifs soulignés.

1. I find this very <u>shocking</u>!
   ❏ choqué ❏ choquant

2. It was a very <u>well-cooked</u> dinner.
   ❏ bien cuit ❏ bon

3. The child was <u>motherless</u>.
   ❏ avec deux mères ❏ orphelin de mère

4. She was wearing a <u>ruby-red</u> dress.
   ❏ un rubis rouge comme sa robe ❏ une robe rouge rubis

5. Miami has a <u>Cuban-born</u> mayor.
   ❏ porté par un cubain ❏ né à Cuba

6. This cake is <u>delicious-looking</u>.
   ❏ regarde délicieusement ❏ a l'air délicieux

Corrigés p. 345

Comparatifs et superlatifs

« Je suis plus intelligent que toi. »

Il y a deux façons de comparer : avec les **comparatifs** (pour comparer deux éléments) ou avec les **superlatifs** (pour comparer plus de deux éléments).

127 Les trois comparatifs

On utilise le comparatif pour dire que quelque chose ou quelqu'un est **plus**, **aussi** ou **moins** grand, compétent, drôle, prudent que…

comparatif d'égalité	as careful as	aussi prudent que
comparatif de supériorité	more careful than	plus prudent que
comparatif d'infériorité	less careful than	moins prudent que

 CAREFUL!

On emploie « que » en français dans les trois comparatifs.
En anglais, il faut choisir : soit **as**, soit **than**.

128 Comparaison : l'égalité

▶ Le comparatif d'égalité (aussi… que…) se forme avec « **as +** adjectif + **as** ».

- Joanna is **as** tall **as** her parents.
  Joanna est aussi grande que ses parents.
- I'm not **as** good **as** Gerry.
  Je ne suis pas aussi bon que Gerry.

◗ Après le second *as*, on emploie le pronom personnel complément (*me*, *him*, *them*...).

   • Joanna is as tall as **them**.
    Joanna est aussi grande qu'eux.

◗ Il faut retenir l'emploi de *as* dans *the same... as* : « le/la/les même(s)... que ».

   • We buy **the same** brand **as** our neighbours.
    Nous achetons la même marque que nos voisins.

129 Comparaison : la supériorité

◗ Le comparatif de supériorité (plus... que...) se forme de deux façons selon que l'adjectif est long ou court.

adjectif **court** (une seule syllabe)	adjectif + **-er**	tall → taller (plus grand) quick → quicker (plus rapide)
adjectif **long** (plus d'une syllabe)	**more** + adj.	intelligent → **more** intelligent (plus intelligent) expensive → **more** expensive (plus cher)

◗ Les adjectifs de deux syllabes en **-y** sont considérés comme courts. Ils font leur comparatif en **-ier** : *easy* → *easier* (plus facile), *heavy* → *heavier* (plus lourd).

◗ Avec **-er**, quand un adjectif se termine par « une seule voyelle + une consonne », on double la consonne : *big* → *bigger* (plus grand), *hot* → *hotter* (plus chaud) mais *sweet* → *sweeter* (plus doux) car *sweet* a deux voyelles.

 CAREFUL!

Retiens ces trois comparatifs irréguliers :

   good/well (bon/bien) → better (meilleur/mieux)
   bad (mal/mauvais) → worse (pire)
   far (loin) → further/farther (plus loin)

◗ L'équivalent de « que » dans « plus... que » est **than** (surtout pas *that* !).

   • This book is more interesting **than** the other one.
    Ce livre est plus intéressant **que** l'autre.

🔵 Après *than*, on emploie le pronom personnel complément (*me*, *him*, *her*...).

  • Joanna is taller than **him**.
    Joanna est plus grande que lui.

 **Training**

1 **À propos de Doggy et Kitty... Complète ces phrases par un comparatif de supériorité.**

Harry is .*taller*. *(tall)* *than*...*his dad.*

Jack – "Doggy is ....(big) ....Kitty."

Jill – "Yes, but Kitty is ....(intelligent) ....Doggy."

Jack – "Is Kitty ....(old) ....Doggy?"

Jill – "No, Kitty is not ....(old) ....Doggy."

Jack – "So, she's ....(young)!"

Jill – "Yes, and she's also ....(aggressive) ....him."

> Corrigés p. 345

130 Le double comparatif : « de plus en plus »

 B1

🔵 « De plus en plus + adjectif court » se traduit par **-er and -er**.

  • It's fast**er** and fast**er**.
    C'est de plus en plus rapide.

🔵 « De plus en plus + adjectif long » se traduit par ***more and more*** + adjectif.

  • It's **more and more** difficult.
    C'est de plus en plus difficile.

🔵 Quand « de plus en plus » n'est pas suivi d'un adjectif, on le traduit toujours par ***more and more***.

  • I love you **more and more**.
    Je t'aime de plus en plus.

  • We're getting **more and more** tourists.
    Nous avons de plus en plus de touristes.

131 Les autres expressions avec « plus »

B1

● « Plus de + nom » : « *more* + nom ».

• I have **more** money and **more** friends than you.
J'ai plus d'argent et plus d'amis que toi.

● « Beaucoup plus » : « *much more* ou *much* + adjectif + -*er* ».

• **much more** careful   • **much** young**er**
beaucoup plus prudent   beaucoup plus jeune

● L'équivalent de « plus…, plus… » est ***the*** more…, ***the*** more… Cette construction exprime un accroissement parallèle. Le contraire est *the less…, the less…*

• **The more** I see them, **the more** I like them.
Plus je les vois, plus je les apprécie.

• **The less** I see them, **the less** I like them.
Moins je les vois, moins je les apprécie.

132 Comparaison : l'infériorité

● Le comparatif d'infériorité (moins… que…) se forme avec « ***less*** + adjectif + ***than*** ».

• It's **less** painful **than** I thought.
C'est moins pénible que je ne le pensais.

CAREFUL!

On emploie plus volontiers *not as… as* que *less… than* surtout avec un adjectif court.

You're **not as fast as** me. Tu es moins rapide que moi.

B1

● « Moins de + nom » se traduit par « ***less*** + nom ». Si le nom est au pluriel, on peut aussi employer ***fewer***.

• We have **less** money and **fewer** friends.
On a moins d'argent et moins d'amis.

● « De moins en moins » : *less and less*

• It's getting **less and less** interesting.
Cela devient de moins en moins intéressant.

• I like them **less and less**.
Je les aime de moins en moins.

🔵 « De moins en moins de + **nom pluriel** » peut aussi se traduire par ***fewer and fewer*** (surtout à l'écrit).

> ● They have **fewer and fewer** friends.
> Ils ont de moins en moins d'amis.

133 Le superlatif

🔵 Le superlatif (le plus grand, le plus beau...) se forme de deux façons, comme le comparatif de supériorité, selon que l'adjectif est court ou long.

| adjectif **court** (une seule syllabe) | *the* + adj. + *-est* | tall → **the** tall**est** (le plus grand) quick → **the** quick**est** (le plus rapide) |
| adjectif **long** (plus d'une syllabe) | *the most* + adj. | intelligent → **the most** intelligent (le plus intelligent) expensive → **the most** expensive (le plus cher) |

🔵 Les adjectifs de deux syllabes en -y sont considérés comme courts. Ils font leur superlatif en *-iest* : *easy → the easiest* (le plus facile), *heavy → the heaviest* (le plus lourd).

🔵 Quand un adjectif se termine par « voyelle + consonne », on double la consonne : *big → the biggest* mais *cheap → the cheapest*.

 CAREFUL!

Voici trois superlatifs irréguliers à retenir :

good/well (bon/bien)   → the best (le meilleur/le mieux)
bad (mal/mauvais)   → the worst (le pire/le plus mauvais)
far (loin)   → the furthest/the farthest (le plus loin)

> This is **the worst** film I have ever seen. And **the most boring** one.
> C'est le plus mauvais film que j'aie jamais vu. Et le plus ennuyeux.

▶ Après un superlatif, on emploie *in* (pas *of*) pour parler d'un groupe ou d'un lieu.

• She's the best singer **in** the band. No, the best **in** the world!
C'est la meilleure chanteuse du groupe. Non, la meilleure du monde !

▶ « Le moins... » se dit *the least* + adjectif.

• It's **the least expensive** hotel in Edinburgh.
C'est l'hôtel le moins cher d'Édimbourg.

Training

2 Complète ce texte avec des superlatifs de supériorité.

Simon – "It's .... (good) restaurant in town. The more I come here, the more I like it."

Jane – "Is it as good as the Indian in Oxford?"

Simon – "I think it's even better!"

Jane – "And what's .... (bad) restaurant in town?"

Simon – "It's called Greasy Spoon. It's also .... (cheap)! But it's in .... (large) and .... (beautiful) square in town."

Corrigés p. 346

Un verbe suit un autre verbe

GRAMMAIRE • LA PHRASE

Quand un verbe suit un autre verbe, trois constructions sont possibles en anglais alors qu'en français, on a la même construction à chaque fois (verbe + infinitif) :

verbe + base verbale	They let me **sleep** until noon. Ils me laissent dormir jusqu'à midi.
verbe + V-*ing*	I love **dancing**. J'adore danser.
verbe + *to* + verbe	She wants **to be** a doctor. Elle veut être médecin.

134 Verbe + base verbale

▶ *Let* (laisser) et *make* (faire) sont toujours suivis d'une base verbale.

- My parents let me **sleep** until 10 on Sundays.
  Mes parents me laissent dormir jusqu'à dix heures le dimanche.

- They made me **pay** the bill! Ils m'ont fait payer l'addition !

 CAREFUL!

Il faut employer *make* pour traduire « faire + verbe », surtout pas *do* !

I'll **make them cry** if I tell them that!
Je les ferai pleurer si je leur dis ça !

▶ Le verbe *help* (aider) est suivi de la base verbale. Mais il peut aussi se construire avec « *to* + verbe ».

- Help me **do** this exercise. / Help me **to do** this exercise.
  Aide-moi à faire cet exercice.

▶ Les verbes *hear* (entendre), *see* (voir) et *watch* (observer) sont suivis de la base verbale (mais V-*ing* est possible aussi).

- I heard him **complain**. (I heard him **complaining**.)
  Je l'ai entendu se plaindre.

- I saw you **go** into the bank. (I saw you **going** into...)
  Je t'ai vu entrer dans la banque.

135 Verbe + V-*ing*

▶ Certains verbes sont suivis de V-*ing* :

be worth (valoir la peine)	it's no use (il est inutile de)
can't help (ne pas s'empêcher de)	keep (continuer à)
enjoy (apprécier)	miss (manquer)
finish (terminer)	stop (arrêter)
go on (continuer)	suggest (suggérer)

- I'm sorry but I can't help **laughing**.
  Je suis désolé, mais je ne peux pas m'empêcher de rire.
- Stop **fighting**!
  Arrêtez de vous battre !
- Have you **finished reading** your emails?
  Tu as terminé de lire tes mails ?
- It's no use **doing** it now.
  C'est (Il est) inutile de le faire maintenant.
- They went on **talking** for hours.
  Ils ont continué de parler pendant des heures.
- This paper is not worth **reading**.
  Ce journal ne vaut pas la peine d'être lu.

 CAREFUL!

Miss se traduit souvent par « manquer ». Mais le complément de *miss* correspond au sujet de « manquer ».

We **miss** going to the theatre.
Aller au théâtre nous manque.

« J'aime danser. » « Je veux être médecin. »

136 **Verbe + *to* + verbe**

▶ Certains verbes sont suivis de « *to* + verbe » :

agree (être d'accord)	need (avoir besoin de)
advise (conseiller)	offer (proposer)
ask (demander)	refuse (refuser)
expect (s'attendre à)	tell (dire)
forget (oublier)	wait (attendre)
hope (espérer)	want (vouloir)
learn (apprendre)	

- They agreed **to help** me.
  Ils ont accepté de m'aider.

- They want **to go on** holiday.
  Ils veulent partir en vacances.

▶ Certains de ces verbes peuvent être suivis d'un complément.

- The driver asked <u>Jim</u> to shut up.
  Le conducteur a demandé à Jim de se taire.

- Hussein didn't expect <u>me</u> to be here.
  Hussein ne s'attendait pas à ce que je sois là.

 CAREFUL!

On ne dit jamais ~~want that~~..., ni ~~would like that~~... Il faut utiliser une proposition infinitive après *want* et *would like*.

I **want** Jo **to** leave.
Je veux que Jo parte.

I **would like** you to listen to Melvin.
J'aimerais bien que tu écoutes Melvin.

▶ Certaines expressions sont suivies de « *to* + verbe » : ***be anxious/ eager to*** (être impatient de), ***be prepared/ready to*** (être prêt à), ***be likely to*** (il est probable que), ***be sorry to*** (être désolé de)...

- We're anxious **to see** the results.
  Nous sommes impatients de voir les résultats.

- I'm sorry **to have** to say no.
  Je suis désolé de devoir dire non.

Training

1 **Choisis la forme correcte.**

1. Stop ❏ shouting ❏ to shout!

2. This clown makes me ❏ laugh ❏ to laugh.

3. I want ❏ buying ❏ to buy a new dress.

4. Brian refused ❏ to help ❏ helping Kevin.

5. Have you started ❏ clean ❏ cleaning your room?

Corrigés p. 346

137 Verbes suivis de V-*ing* ou de *to* + verbe

● Les principaux verbes concernés sont :

begin, start (commencer)	need (avoir besoin)
continue (continuer)	prefer (préférer)
hate (détester)	regret (regretter)
like (bien aimer)	remember (se souvenir)
love (aimer)	try (essayer)

- I love **dancing**. (I love **to dance**.)
  J'aime danser.
- I tried **to write** poetry. (I tried **writing** poetry.)
  J'ai essayé d'écrire de la poésie.

 B1 ⚠ **CAREFUL!**

Would like, *would* love, *would* hate et *would* prefer sont **obligatoirement** suivis de « *to* + verbe ».

I would like **to dance**. (I would like ~~dancing~~.)
J'aimerais danser.

● Avec *regret* et *remember*, le sens varie selon qu'on a « verbe + V-*ing* » ou « verbe + *to* »...

- Remember to send a text!
  N'oublie pas d'envoyer un texto !
- ≠ I remember sending a text.
  Je me souviens d'avoir envoyé un texto.

* I regret to inform you that you failed.
  Je suis au regret de vous informer que vous avez échoué.
≠ I regret telling them.
  Je regrette de leur avoir dit.

▶ Il ne faut pas confondre *need* + V-*ing* (avoir besoin d'être + participe passé) et *need to* + V (avoir besoin de + infinitif).

* Your bedroom needs cleaning.
  Ta chambre a besoin d'être nettoyée.
* We don't need to do it.
  On n'a pas besoin de le faire.

138 Nom verbal

Le nom verbal (ou gérondif) est un verbe utilisé comme nom. Il se forme en ajoutant -*ing* au verbe. En français, on utilise l'infinitif dans ce cas.

* **Dancing** is fun.
  Danser, c'est amusant.
* **Smoking** can damage your health.
  Fumer peut nuire à votre santé.
* **Going on holiday** would be a good idea.
  Aller en vacances serait une bonne idée.
* I'll never get used to **seeing** them like that.
  Je ne m'habituerai jamais à les voir comme ça.

139 Préposition + V-*ing*

▶ Si on veut utiliser un verbe après une <u>préposition</u>, on doit utiliser la forme en **V-*ing***.

* I did it <u>without</u> think**ing**.
  Je l'ai fait sans réfléchir.
* I'm fed up <u>with</u> help**ing** them.
  J'en ai assez de les aider.
* You should be revising <u>instead of</u> watch**ing** TV.
  Tu devrais réviser au lieu de regarder la télévision.
* What <u>about</u> go**ing** to the restaurant?
  Et si on allait au restaurant ?

⚠ CAREFUL!

Dans *look forward to* (avoir hâte de), *be used to* (avoir l'habitude de) et *get used to* (s'habituer à), *to* est une préposition. Le verbe qui suit *to* se termine donc par V-*ing*.

I look forward to **meeting** you. (I look forward ~~to meet~~ you.)
J'ai hâte de vous rencontrer.

We are not used to **slogging** like this. (We aren't used ~~to slog~~ like this.)
On n'a pas l'habitude de bosser comme ça.

Training

2 Choisis la forme qui convient : base verbale, *to* + verbe ou V-*ing*. Il y a parfois deux solutions.

I like *talking / to talk* .... *(talk)* to you.

1. I love .... (dance). I'd love .... (dance) now!

2. If you help me .... (write) this essay, you'll never hear me .... (complain) again!

3. .... (Run) on a wet road can be dangerous.

4. Do you look forward to .... (go) on holiday?

5. It's no use .... (cry) over spilt milk. [Littéralement : « Il est inutile de pleurer sur du lait renversé. » Traduction : « Ce qui est fait est fait. »]

Corrigés p. 346

Les propositions relatives

Une proposition relative est introduite par un **pronom relatif**. Elle complète un nom ou un groupe nominal, appelé antécédent. Les principaux pronoms relatifs sont *that*, *which* et *who*.

140 Comment choisir le pronom relatif ?

◗ Le choix du pronom relatif dépend de la nature de l'antécédent.

Antécédent humain : who (ou *that* à l'oral)	Antécédent non humain : that (ou *which* moins fréquent)
<u>The person</u> **who** (/**that**) is talking is my best friend.	<u>The car</u> **that** (/**which**) is parked outside is Jo's.
La personne qui est en train de parler est ma meilleure amie.	La voiture qui est garée dehors est celle de Jo.

◗ En anglais, contrairement au français, le pronom relatif peut être omis mais seulement quand il est **complément d'objet**.

• The guy Ø she married is Rick.
Le gars qu'elle a épousé est Rick.

Dans *The person who is talking is my best friend* et *The car that is parked outside is Jo's*, le pronom relatif n'est pas complément d'objet (c'est le sujet de *is*). On ne peut donc pas le supprimer.

◗ Parfois, les propositions relatives apportent une information secondaire. On les appelle « propositions relatives **appositives** ». On les trouve notamment après les noms propres. Dans ce cas, seuls *who* (antécédent humain) ou *which* (antécédent non humain) sont possibles.

• The Tower of London, **which** I have visited many times, is my favourite place in London.
La Tour de Londres, que j'ai visitée de nombreuses fois, est mon endroit préféré de Londres.

• This is Emma, **who** is my new neighbour.
Voici Emma, qui est ma nouvelle voisine.

Training

1 **Choisis le bon pronom relatif (au moins deux possibilités).**

1. I know a guy .... can run a marathon.

2. They have a car .... can do 140 miles an hour.

3. The bike .... I bought is second-hand [d'occasion].

4. The girl .... he likes is my cousin.

Corrigés p. 346

141 Où placer la préposition ?

B1 ◗ Les prépositions se placent **à la fin** de la proposition relative en anglais. Elles restent donc à côté du verbe. En français, les prépositions se placent au début de la proposition relative.

> • The guy **I was talking <u>to</u>** is Jo.
> Le gars **<u>à qui je parlais</u>** est Jo.

◗ Avec une préposition, on omet très souvent le pronom relatif.

> • The guy Ø I was talking to is Jo.

142 *Whose* : « dont »

◗ *Whose* exprime l'appartenance ou un lien de parenté.

> • What's the company **whose** logo is a palm tree?
> Quelle est la compagnie dont le logo est un palmier ?

> • This is the boy **whose** sister is a test pilot.
> Voici le garçon dont la sœur est pilote d'essai.

 CAREFUL!

Attention à ne pas employer d'article après *whose*. Il ne faut donc pas calquer sur le français.

B1 ◗ Parfois, en français, le deuxième nom n'est pas juste à côté de « dont ». En anglais, on garde l'ordre « nom + *whose* + nom ».

> • This is the <u>boy</u> whose <u>parents</u> I showed you.
> Voici le <u>garçon</u> dont je t'ai montré les <u>parents</u>.

GRAMMAIRE • LA PHRASE

▶ « Dont » se traduit par *whose* uniquement quand on a « nom + dont + nom » (la compagnie dont le logo…, le garçon dont la sœur…). Quand « dont » est **complément de verbe** (dont je parle) ou **d'adjectif** (dont je suis fier), il ne se traduit pas par *whose*.

- The company I'm talking **about** is Australian.
  La compagnie dont je parle est australienne.
- The only person I'm proud **of** is you, Rex.
  La seule personne dont je sois fier, c'est toi, Rex.

143 *Which* et *what* : « ce qui », « ce que »

(B1)

Which et *what* peuvent tous deux traduire « ce qui / ce que ». *Which* reprend toute une proposition. *What* n'a pas d'antécédent dans la phrase ; il peut se remplacer par *the thing that* (la chose que).

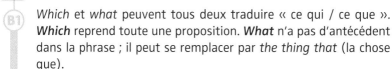

- They all passed, **which** didn't surprise me.

  Ils ont tous réussi, ce qui ne m'a pas surpris.
- I liked **what** you said about the novel.
  [the thing that you said]
  J'ai aimé ce que tu as dit du roman.

Training

2 Entoure la bonne proposition.

1. This is the book whose / which I told about.

2. The film you told me about / about which you told me was worth watching.

3. It's not which / what I've heard.

4. She looks tired, which / what is rare.

Corrigés p. 346

Les types de phrases

« Mes cousins vivent à Miami. »

Il existe trois types de phrases : la phrase affirmative, la phrase négative et la phrase interrogative.

144 La phrase affirmative

▶ La phrase affirmative suit l'ordre « sujet + <u>verbe</u> ».

- My parents <u>are</u> on holiday.
  Mes parents sont en vacances.
- My cousins <u>live</u> in Miami.
  Mes cousins vivent à Miami.
- Your brother <u>can go</u> with us.
  Ton frère peut partir avec nous.

▶ Comme en français, on peut mettre des mots en relief. L'équivalent de « C'est… que… » est *It's… that…*

- We live here. → **It's** here **that** we live.
  Nous habitons ici. → C'est ici que nous habitons.

▶ Pour mettre un mot en relief, on peut aussi l'accentuer à l'oral. À l'écrit, on le souligne.

- <u>John</u> did it.
  C'est John qui l'a fait.

145 La phrase négative

🔴 Il faut **toujours utiliser un auxiliaire** dans les phrases négatives.

affirmation	négation
auxiliaire *be*	auxiliaire *be* + not
My parents are on holiday.	My parents **are not** (aren't) on holiday.
auxiliaire *have*	auxiliaire *have* + not
I have got two bikes.	I **have not** (haven't) **got** two bikes.
auxiliaire modal	auxiliaire modal + *not*
I can read.	I **cannot** (can't) read.
pas d'auxiliaire	auxiliaire *do* + not
I love you.	I **do** not (don't) love you.
She hates me.	She **does not** (doesn't) hate me.

🔴 Il ne peut y avoir qu'une négation dans une phrase. Si on a *never*, *nothing* ou *nobody*, le verbe est à la forme affirmative.

- They are **never** at home.
  Ils ne sont jamais à la maison.
- I said **nothing**.
  Je n'ai rien dit.
- **Nobody** is here.
  Personne n'est là.

« Mes parents sont en vacances... » « Mes parents ne sont pas en vacances... »

La phrase interrogative : les *yes/no questions*

▶ Les questions auxquelles on peut répondre par *Yes* ou *No* commencent toujours par un auxiliaire. Attention à l'ordre des mots :

affirmation	interrogation
auxiliaire *be*	auxiliaire *be* + <u>sujet</u>
She **is** tired.	**Is** <u>she</u> tired?
They **are** eating.	**Are** <u>they</u> eating?
auxiliaire *have*	auxiliaire *have* + <u>sujet</u>
You **have** got a new mobile.	**Have** <u>you</u> got a new mobile?
auxiliaire modal	auxiliaire modal + <u>sujet</u>
We **can** swim here.	**Can** <u>we</u> swim here?
They **will** call the police.	**Will** <u>they</u> call the police?
pas d'auxiliaire	auxiliaire *do* + <u>sujet</u>
You love them.	**Do** <u>you</u> love them?
She lives in Tokyo.	**Does** <u>she</u> live in Tokyo?

▶ L'intonation des *yes/no questions* est **montante**.

  • Are you alone? ↗ Tu es seul(e) ?

Training

1 Transforme ces phrases affirmatives en phrases négatives puis interrogatives.

1. Sandy needs a passport.

....

2. It rains a lot here.

....

3. He'll call Ben's parents.

....

4. The school has a swimming pool.

....

Corrigés p. 346

147 Les questions commençant par un mot interrogatif

◗ Les principaux mots interrogatifs sont :

who? (qui ?)　　　　　　　　where? (où ?)

which? (quel ? lequel ?)　　　why? (pourquoi ?)

what? (que ? qu'est-ce que ?)　how? (comment ?)

when? (quand ?)　　　　　　what time? (à quelle heure ?)

◗ Les questions commençant par un mot interrogatif suivent l'ordre :

mot interrogatif	auxiliaire	sujet	verbe	
Who	will	they	see?	Qui verront-ils ?
What	do	you	want?	Que veux-tu ?
When	is	he	leaving?	Quand part-il ?
Where	are	you	going?	Où vas-tu ?
How	did	you	find it?	Comment l'as-tu trouvé ?

CAREFUL!

Si le mot interrogatif est sujet, on n'utilise pas *do(es)/did*.

interrogatif sujet	verbe	
Who	wants some?	Qui en veut ?
Who	saw it?	Qui l'a vu ?
Which party	won the election?	Quel parti a gagné l'élection ?
What	happened?	Qu'est-ce qui s'est passé ?

◗ Lorsqu'il y a une préposition, celle-ci se place à la fin de la question, contrairement au français.

- Who are they talking <u>to</u>?
  <u>À</u> qui parlent-ils ?
- Where is she <u>from</u>?
  <u>D</u>'où vient-elle ?

2 Remets les mots dans l'ordre pour former des phrases.

1. her soup / not / she / finished / has / yet

....

2. last / far / you / how / did / time / travel / ?

....

3. with / you / go / did / who / ?

....

4. her / he / wedding / know / does / about / ?

....

Corrigés p. 346

148 L'interrogatif est *what, which* ou *whose*

▶ Pour proposer un choix, on emploie *what* (qu'est-ce que ?) ou *which* (lequel ?). Attention : on n'emploie *which* que pour proposer un choix dans un ensemble restreint.

- **What** do you want?
  Qu'est-ce que tu veux ?
- **Which** (one) do you want?
  Lequel/Laquelle veux-tu ?
- **Which** colour do you prefer: blue or red?
  Quelle couleur préfères-tu : le bleu ou le rouge ?

▶ Pour interroger sur la **possession**, on emploie *whose* (à qui ?). La réponse contient souvent un génitif.

- "**Whose** car is it?" "It's Paul's."
  « À qui est cette voiture ? – Elle est à Paul. »
  [On n'emploie pas de déterminant après *whose*.]

149 L'interrogatif est *how*

▶ « Combien de… ? » se traduit de deux façons : « *how much* + nom **singulier** » ou « *how many* + nom **pluriel** ».

- **How much money** do you need?
  Tu as besoin de combien d'argent ?
- **How many friends** have you got?
  Tu as combien d'amis ?

CAREFUL!

On emploie *How much is it*? pour demander un prix.

▶ *How* peut être suivi d'un adjectif ou d'un adverbe, pour interroger sur différentes mesures :

âge	**How old** are you? Quel âge as-tu ?
taille	**How tall** is Betsy? [personne] Combien mesure Betsy ? **How high** is the Empire State Building? [objet] Quelle est la hauteur de l'Empire State Building ?
profondeur	**How deep** is this pool? Combien cette piscine fait-elle de profondeur ?
longueur	**How long** is your car? Quelle est la longueur de votre voiture ?
distance	**How far** is it from here? C'est à quelle distance d'ici ?
fréquence	**How often** do you come here? Vous venez ici tous les combien ?

« Tu as combien d'amis ? »

▶ Pour interroger sur la **durée** ⟨▶28⟩, on commence la phrase par *how long*…

– *How long… for* (Pour combien de temps ?)

- "**How long** are you here **for**?" "I'm here for two weeks."
  « Tu es ici pour combien de temps ? – Je suis ici pour deux semaines. »

– *How long + present perfect* (Depuis combien de temps ?)

- "**How long** have you been here?" "I've been here for two months."
  « Depuis combien de temps es-tu ici ? – Je suis ici depuis deux mois. »

– *How long ago* (Il y a combien de temps ?)

- "**How long ago** did it happen?" "It happened ten years ago."
  « C'est arrivé il y a combien de temps ? – C'est arrivé il y a dix ans. »

Training

3 **Choisis le bon pronom interrogatif en fonction de la réponse donnée entre parenthèses.**

How old …… is your granddad? (82 years old)

1. …………… is your mum? (1m62)

2. …………… is this cake? (£6)

3. …………… do you want to go? (To India.)

4. …………… schoolbag is this? (It's Liz's.)

5. …………… DVD do you want to see: *Shrek* or *The Simpsons?* (*Shrek!*)

6. …………… are they going to stay with you? (2 weeks)

Corrigés p. 346

Coordination et subordination

Une proposition **coordonnée** est introduite par une conjonction de coordination (*and*, *or*, *but*...).

Une proposition **subordonnée** dépend d'une autre proposition, appelée principale. La subordonnée est reliée à la principale par une conjonction de subordination (par exemple *that*, « que »).

150 La coordination

▶ Les conjonctions de coordination sont *and* (et), *or* (ou), *but* (mais) et *so* (donc). Elles s'emploient comme leurs équivalents français.

- Jack **and** Laurie wanted to see a film, **but** they arrived too late.
  Jack et Laurie ont voulu voir un film, mais ils sont arrivés trop tard.

- I like music, **so** I often go to concerts.
  J'aime la musique, donc je vais souvent à des concerts.

▶ Quand *and* relie deux propositions, on peut omettre le sujet de la deuxième proposition s'il est identique au premier. En français, on préfère répéter le sujet.

- I stayed at home and watched TV. (I stayed at home and I watched TV.)
  Je suis resté à la maison et j'ai regardé la télé.

151 La subordination

▶ Les principales conjonctions de subordination de **temps** sont : *after* (après que), *before* (avant que), *till* ou *until* (jusqu'à ce que), *when* (quand)...

- Let's go **before** it gets dark.
  Partons avant qu'il ne fasse sombre.

- I'll wait **until** they come back.
  J'attendrai jusqu'à ce qu'ils reviennent.

◗ Beaucoup de subordonnées sont introduites par la conjonction *that*, qui s'emploie presque toujours comme « que ». Mais on l'omet très souvent après des verbes courts comme *know* (savoir), *say* (dire), *think* (penser).

> • I know you're right. (I know that you're right.)
> Je sais que tu as raison.

 CAREFUL!

Il ne faut pas confondre *that* conjonction (qui complète un verbe) et *that* pronom relatif (qui complète un nom).

I know **that** you're right. [*that* = conjonction]
Je sais que tu as raison.

I know the school **that**'s in your village. [*that* = pronom relatif]
Je connais l'école qui est dans ton village.

◗ Voici quelques autres conjonctions de subordination.

but	so that (afin que)
cause	because /bikəz/ (parce que), since (puisque)
comparaison	as (comme), as if (comme si)
concession	although /ɔːlˈðəʊ/, even though (bien que), whereas /weərəz/ (alors que)
condition	if (si)

> • You should wear yellow **so that** people can see you better.
> Tu devrais porter du jaune afin que les gens te voient mieux.

> • I'm hungry **because** I didn't have lunch.
> J'ai faim parce que je n'ai pas déjeuné.

> • I'll help you **if** you give me your phone number.
> Je t'aiderai si tu me donnes ton numéro de téléphone.

> • He did it, **although (even though)** he's shy.
> Il l'a fait bien qu'il soit timide.

◗ « Comme je l'ai dit » se dit *as I said*. Mais on entend de plus en plus *like I said*.

● *As* a trois sens : « comme », « pendant que » et « puisque ».

- **As** you know, we're very pleased with your results.
  Comme vous le savez, nous sommes très contents de vos résultats.
- It happened **as** I was doing my shopping.
  Ça s'est produit **pendant** que je faisais mes courses.
- **As** she was out, I called her on her mobile.
  Puisqu'elle était sortie, je l'ai appelée sur son portable.

● *Since* a deux sens : « depuis que » (▶ 28) et « puisque ».

- Nobody's been well **since** you went away.
  Personne n'a été en bonne santé **depuis que** tu es parti.
- Let's have dinner, **since** we have plenty of time.
  Allons dîner **puisque** nous avons plein de temps.

1 Souligne les conjonctions de subordination et barre celles qui peuvent être supprimées.

1. "Why weren't you at school?" "Because I was sick."

2. I'll go with you if you want me to.

3. Justin thinks that it's a good idea.

4. We know that you're the best.

(Corrigés p. 346)

152 L'emploi des temps après *when* et *if*

 ● On n'emploie pas *will* ou *would* après *when*.

français	anglais
quand... + futur	*when...* + **présent**
Appelle-nous quand tu y seras.	Call us when you**'re** there.
quand... + futur antérieur	*when...* + ***present perfect***
Envoie-moi un SMS quand tu seras arrivé.	Send me a text when you**'ve** arrived.
quand... + conditionnel	*when...* + **prétérit**
Tu as promis que tu téléphonerais quand tu arriverais.	You promised you'd call when you arrived.

◗ On n'emploie pas *will* ou *would* après *as soon as* (dès que), *once* (une fois que), *until* (jusqu'à ce que) et *while* (pendant que).

◗ Après *if* (si), le fonctionnement des verbes est comparable en anglais et en français.

– *If* + présent : c'est encore réalisable

> • We won't go **if** it rains.
> Nous n'irons pas s'il pleut.

– *If* + prétérit : c'est peu probable

> • Jo would do it **if** you asked him.
> Jo le ferait si tu lui demandais.

– *If* + *pluperfect* : ça ne s'est pas réalisé dans le passé

> • **If** you had come, we would have helped you.
> Si tu étais venu, on t'aurait aidé.

Training

2 **Mets le verbe entre parenthèses à la forme qui convient.**

1. We'll call you when we .... (arrive).

2. I would help you if I .... (be) with you.

3. Don't tell anyone until you .... (know) for sure.

4. If I had known, I .... (not/say) anything.

5. They visited the Empire State Building when they ....
(be) in New York.

6. Let me know when you .... (finish) your homework.

7. You won't get any dessert if you .... (not/eat) your
vegetables.

Corrigés p. 346

Le discours indirect

« Je suis fatiguée. » « Meg dit qu'elle était fatiguée. »

Au **discours direct**, on rapporte directement les paroles de quelqu'un. Au **discours indirect**, on rapporte après coup les paroles de quelqu'un. Le discours indirect entraîne quelques modifications par rapport au discours direct.

discours direct	→	discours indirect
"I am tired," Meg said.		Meg said that she was tired.
« Je suis fatiguée », a dit Meg.		Meg a dit qu'elle était fatiguée.
• guillemets		• pas de guillemets
• pronom personnel		• pronom personnel : she
• temps : présent		• temps : prétérit

153 Le verbe introducteur du discours indirect

▶ Pour introduire du discours indirect, on emploie surtout le verbe *say*. La conjonction *that* est souvent omise après le verbe *say*.

Meg **said** (that) she was tired.
Meg a dit qu'elle était fatiguée.

B1 ▶ *Tell* signifie aussi « dire » mais *say* et *tell* ne se construisent pas de la même façon : avec *tell*, il faut **obligatoirement** préciser **à qui** on dit quelque chose.

> • He **told Jane** (that) he wasn't feeling well.
> Il a dit à Jane qu'il ne se sentait pas bien.

Si on ne précise pas à qui on dit quelque chose, il faut employer *say* et non *tell*.

> • He **said** he wasn't feeling well.
> (He ~~told~~ he wasn't feeling well.)
> Il a dit qu'il ne se sentait pas bien.

▶ Voici d'autres verbes qu'on peut utiliser pour introduire du discours indirect :

answer (répondre)	point out (signaler)
demand (exiger)	state (déclarer)
forbid (interdire)	warn (avertir)...

> • She **answered** (that) she didn't care.
> Elle a répondu que ça lui était égal.

> • The headteacher **pointed out** (that) it was useless.
> Le proviseur a fait remarquer que c'était inutile.

Training

1 **Réécris ces phrases au discours indirect, en utilisant l'amorce.**

"I'm not in London." → Sue said .she. wasn't in London. ....

1. "I'm tired." → Harry said ....

2. "We are from Germany."
→ Karl and Kim said ....

3. "I can't dance." → My friend Julie said ....

4. "We have already seen that film."
→ My colleagues said ....

5. "Jenny is still driving."
→ My brother told me ....

6. "I will leave soon." → She informed me ....

Corrigés p. 346

154 L'emploi des temps au discours indirect

Le fonctionnement des temps est comparable au français.

discours direct		discours indirect
présent	➜	prétérit
(She said:) "I <u>am</u> in London."		She said (that) she <u>was</u> in London.
(Elle a dit :) « Je suis à Londres. »		Elle a dit qu'elle était à Londres.
prétérit	➜	*pluperfect* (*had* + participe passé)
(Sue said:) "Jo <u>called</u>."		Sue said (that) Jo <u>had called</u>.
(Sue a dit :) « Jo a appelé. »		Sue a dit que Jo avait appelé.
present perfect	➜	*pluperfect*
(Lila said:) "I <u>have seen</u> it."		Lila said (that) she <u>had seen</u> it.
(Lila a dit :) « Je l'ai vu. »		Lila a dit qu'elle l'avait vu.
will	➜	*would*
(Ryan said:) "I <u>will</u> do it."		Ryan said (that) he <u>would</u> do it.
(Ryan a dit :) « Je le ferai. »		Ryan a dit qu'il le ferait.
can	➜	*could*
(Ryan said:) "I <u>can</u> do it."		Ryan said (that) he <u>could</u> do it.
(Ryan a dit :) « Je peux le faire. »		Ryan a dit qu'il pourrait le faire.

155 L'emploi des personnes au discours indirect

La transformation des pronoms personnels est comparable à celle du français.

discours direct		discours indirect
1re personne	➜	3e personne
I, me, my, we, us, our		he/she, him/her, his/her, they, them, their

- (He said:) "<u>I</u> am in <u>my</u> car."
  (Il a dit :) « Je suis dans ma voiture. »
- He said (that) **he** was in **his** car.
  Il a dit qu'il était dans sa voiture.

- (They said:) "<u>We</u> buy <u>our</u> bread here."
  (Ils ont dit :) « Nous achetons notre pain ici. »
- They said (that) **they** bought **their** bread here.
  Ils ont dit qu'ils achetaient leur pain ici.

156 Les questions au discours indirect

● Pour poser une **question au discours indirect**, on utilise souvent le verbe *ask* suivi de *if* (si). Attention : l'ordre des mots est le même que celui d'une phrase affirmative.

> (Jill asked:) "Are you ill?"
> (Jill a demandé :) « Tu es malade ? »
> Jill asked **if I was ill**.
> Jill a demandé si j'étais malade.

> (Jill asked:) "Did they eat it?"
> (Jill a demandé :) « Est-ce qu'ils l'ont mangé ? »
> Jill asked **if they had eaten it**.
> Jill a demandé s'ils l'avaient mangé.

● On emploie souvent aussi le verbe *wonder* (se demander).

> I wondered **if it was true**.
> Je me suis demandé si c'était vrai.

● À l'écrit, on peut employer *whether* à la place de *if* :

> Jill asked whether I was ill.
> I wondered whether it was true.

● La question peut commencer par un mot interrogatif (*how, what, why*...) ▸147 .

> (She asked:) "Why are they late?"
> (Elle a demandé :) « Pourquoi sont-ils en retard ? »
> She asked **why they were late**.
> Elle a demandé pourquoi ils étaient en retard.

> (He asked me:) "When did you see them?"
> (Il m'a demandé :) « Quand les as-tu vus ? »
> He asked me **when I had seen them**.
> Il m'a demandé quand je les avais vus.

157 Autres changements possibles au discours indirect

discours direct	→	discours indirect
now		then
maintenant		à ce moment-là
yesterday		the day before
hier		la veille
last week/month/year		the week/month/year before
la semaine/le mois/l'année		la semaine/le mois/l'année
dernier(-ière)		précédent(e)
four months ago		four months before
il y a quatre mois		quatre mois auparavant
next week/month/year		the following week/month/year
la semaine/le mois/l'année		la semaine/le mois/l'année
prochain(e)		suivant(e)

(Lee said:) "I was here **yesterday**."
(Lee a dit :) « J'étais là hier. »
Lee said (that) she had been here **the day before**.
Lee a dit qu'elle avait été là la veille.

2 Réécris ces phrases au discours indirect, en utilisant l'amorce. Attention aux déterminants possessifs et aux expressions de temps.

1. "I'll go with my parents."
→ Liz said ....

2. "We went to the zoo last week."
→ They said ....

3. "Is your brother happy?"
→ Laura asked me ....

4. "Where did you go last year?"
→ She asked me ....

Corrigés p. 347

Les prépositions

« Je suis à Londres. »　　　　« Il va à Londres. »

Les prépositions sont de petits mots qui servent à **introduire un nom** (*with Peter*) **ou un groupe nominal** (*with my friend*). Elles ressemblent aux particules. Mais il ne faut pas les confondre : la particule n'introduit pas un nom, elle complète le sens du verbe.

158 Les prépositions de lieu

Les prépositions de lieu sont présentées aux paragraphes 246-249. Voici quelques emplois sur lesquels on peut se tromper.

▶ *To, at* ou *in* ?
On utilise *to* quand il y a un mouvement, *at* ou *in* quand il n'y en a pas.

go to the airport	≠	be at the airport
aller à l'aéroport		être à l'aéroport
go to London	≠	be in London
aller à Londres		être à Londres
go to school	≠	be at school
aller à l'école		être à l'école

GRAMMAIRE • LA PHRASE

Avec *home*, on peut se dispenser de préposition.

be (at) home	stay (at) home
être à la maison	rester chez soi

Sauf pour dire « rentrer chez soi », dans ce cas il n'y jamais de préposition : *go home*.

▶ *In* ou *into* ?

Into signale un changement de position.

- They went **into** the classroom.
  ≠ They are **in** the classroom.
  Ils sont entrés dans la classe.
  ≠ Ils sont dans la classe.

- My cousins ran **into** the garden.
  ≠ They stayed **in** the garden all afternoon.
  Mes cousins ont couru dans le jardin.
  ≠ Ils sont restés dans le jardin tout l'après-midi.

▶ *On* ou *in* ?

La préposition *on* correspond à « sur » et *in* à « dans ».

- I was sitting **on** a tiny chair **in** a huge living room.
  J'étais assis sur une petite chaise dans un immense salon.

Retiens ces différences entre le français et l'anglais :

on a bus/train/plane	on TV, on the radio
dans un bus/train/avion	à la télévision, à la radio

Note que l'on emploie également *on* dans des expressions comme :

on foot	on the ground floor
à pied	au rez-de-chaussée

 ## CAREFUL!

Dans quelques expressions, on n'utilise pas d'article après les prépositions *at*, *in* et *on*.

at school	at Mary's	in hospital
à l'école	chez Mary	à l'hôpital
at home	in bed	on television
à la maison	au lit	à la télévision

Dans les autres cas, on emploie l'article.

at a party	in the world	in the newspaper
à une fête	au monde	dans le journal

159 **Les prépositions de temps**

▶ Quelques prépositions courantes :

after midnight	during our holidays
après minuit	**durant nos vacances**
before the break	from 2015 to 2023
avant la pause	**de 2015 à 2023**
by the end of the week	until now, up to now
avant la fin de la semaine	**jusqu'à présent**

▶ *At*, *in* ou *on* ?

– *At* + heure, période

at 8 o'clock	at the weekend	at Christmas
à 8 heures	**le week-end**	**à Noël**
		[pendant la période de Noël]

– *On* + jour de la semaine, date :

on Sunday	on February 12	on Christmas Day
dimanche	**le 12 février**	**le jour de Noël**

– *In* + mois, saisons, années, siècles :

in June	in winter	in 2018	in the 21st century
en juin	**en hiver**	**en 2018**	**au XXIe siècle**

– *In* + moment de la journée :

in the morning	in the afternoon
le matin	**l'après-midi**

mais :

at night	during the day
la nuit	**dans la journée**

– *In* + moment dans l'avenir :

in ten minutes	in two months
dans dix minutes	**dans deux mois**

(For et *since* ▶ 28, 34)

Training

1 Complète ce dialogue avec les bonnes prépositions.

A quick conversation .... the phone.

David – "I'm not .... home. I'm going .... the station. I'm ....
a bus right now. My cousin is arriving .... twenty minutes, ...
11:30. She always visits me .... Saturdays."

Tom – "Listen .... me, David. Today is Friday!"

Corrigés p. 347

160 Les autres prépositions

Voici les autres prépositions à retenir. Elles sont très fréquentes.

about	because of	instead of
au sujet de	à cause de	au lieu de
according to	contrary to, unlike	like
selon	contrairement à	comme
as	despite, in spite of	without
en tant que	malgré	sans

- "What's it **about**?" "It's a book **about** computers."
  « Ça parle de quoi ? – C'est un livre sur les ordinateurs. »

B1 ▶ Il ne faut pas confondre *like* (« comme » au sens de « comparé à ») et *as* (« comme » au sens de « en tant que »).

- Elly is **like** my sister.
  Elly est comme ma sœur. [Mais Elly n'est pas ma sœur.]
- Matt works **as** a waiter.
  Matt travaille comme serveur. [= Matt est serveur.]

▶ « Selon » se dit *according to*, mais « selon moi » ne se dit pas
~~according to me~~.

according to her and according to Jo
selon elle et selon Jo
in my opinion (to my mind)
selon moi

161 Les verbes suivis ou non d'une préposition

▶ En anglais, comme en français, on doit parfois utiliser une préposition entre le verbe et son complément :

look **after** sth/sb (s'occuper de qqch./qqn)
talk **about** sth/sb (parler de qqch./qqn)
think **of** sth/sb (penser à qqch./qqn)
write **to** sb (écrire à qqn)...

- • We talked **about** the exam. Nous avons parlé de l'examen.

▶ Il peut y avoir une préposition en anglais mais pas en français. On dit :

ask **for** sth (demander qqch.)
look **at** sth/sb (regarder qqch./qqn)
look **for** sth/sb (chercher qqch./qqn)
listen **to** sth/sb (écouter qqch./qqn)
pay **for** sth (payer qqch.)
wait **for** sth/sb (attendre qqch./qqn)...

- • Listen **to** me carefully.
  Écoutez-moi attentivement.
- • How much did you pay **for** your mobile?
  Combien as-tu payé ton portable ?

▶ On n'emploie pas de préposition avec *enter* (entrer dans), *obey* (obéir à), *remember* (se souvenir de) et *trust* (faire confiance à).

- • This dog does not **obey** its owners.
  Ce chien n'obéit pas à ses maîtres.
- • Do you **remember** Mrs Ahmed?
  Tu te souviens de Madame Ahmed ?

(Adjectifs suivis d'une préposition ▶ 125)

▶ Parfois les constructions sont très différentes en anglais et en français : *remind **sb** of <u>sth</u>* mais « rappeler <u>qqch.</u> à **qqn** ».

- • It reminds **me** of <u>my holiday</u> in Bristol.
  Ça **me** rappelle <u>mes vacances</u> à Bristol.

▶ Attention à la construction de *describe* (décrire), *explain* (expliquer) et *suggest* (suggérer).

- Describe **to me** this painting. (~~Describe me~~ ...)
Décrivez-moi ce tableau.
- Explain **to them** the difference. (~~Explain them~~ ...)
Expliquez-leur la différence.
- Can you suggest **to us** a pub? (Can you ~~suggest us~~ ...)
Pouvez-vous nous suggérer un pub ?

162 Préposition ou particule ?

B1

▶ Parmi les verbes ordinaires, certains sont **composés de deux mots**. Le premier mot est le verbe proprement dit, qui se conjugue, et le second est un petit mot (appelé « particule »), qui change le sens du verbe.

- Put it here. [*put* : mettre] Mets-le ici.
- Can we put it off? [*put off* : remettre à plus tard]
Est-ce qu'on peut remettre ça à plus tard ?

▶ Voici quelques verbes courants suivis d'une particule.

verbe simple	verbe + particule
break (casser)	break down (tomber en panne)
bring (apporter)	bring up (élever)
give (donner)	give up (abandonner)
go (aller)	go on (continuer)
sit (être assis)	sit down (s'asseoir)
stand (être debout)	stand up (se lever)
drop (laisser tomber)	drop in (passer chez quelqu'un)
move (déplacer)	move out (déménager)
turn (tourner)	turn off (éteindre)

▶ Les verbes à particule peuvent être suivis d'un <u>COD</u> qui se place entre le verbe et la particule ou après le verbe.

- Put <u>your shoes</u> on. (Put on <u>your shoes</u>.)
Mets tes chaussures.

▶ Quand le <u>COD</u> est *it* ou *them*, une seule place est possible : entre le verbe et la particule.

- Put <u>them</u> on now. (~~Put on them now.~~)
Mets-les maintenant.

◗ Certains verbes sont composés de trois mots, par exemple *get on with* (bien s'entendre avec), *look forward to* (attendre avec impatience) et *put up with* (supporter). Le troisième mot est une préposition.

- They **get on with** their parents.
  Ils s'entendent bien avec leurs parents.
- I can't **put up with** this situation.
  Je ne supporte pas cette situation.
- I **look forward to** next year.
  Il me tarde d'être à l'année prochaine.

2 Coche la (ou les) bonne(s) réponse(s).

1. She entered ❑ in ❑ ∅ the room.

2. He explained ❑ me ❑ to me the concept.

3. Please ❑ take your coat off ❑ take off your coat!
And your shoes, ❑ take them off ❑ take off them too!

4. I listen ❑ to ❑ at all kinds of music.

Corrigés p. 347

Les adverbes

Les adverbes servent à modifier un adjectif, un verbe ou une phrase.

> It's **really** cold.
> Il fait vraiment froid.
> He walked **quickly**.
> Il a marché vite.
> **Honestly**, I don't like it.
> Honnêtement, je n'aime pas ça.

Du point de vue du sens, on distingue principalement les adverbes de **degré**, de **fréquence** et de **liaison**.

163 La formation des adverbes

◗ Les adverbes peuvent être des mots simples : *fast* (vite), *too* (trop), *well* (bien)…

◗ Beaucoup d'adverbes sont formés sur « adjectif + **-ly** » (comme en français « adjectif + -ment »).

rapid**ly**   slow**ly**
rapidement   lentement

◗ Si l'adjectif se termine par -y, l'adverbe se termine en *-ily* : *easy* → *easily* (facilement).

◗ Quelques adverbes en *-ly* ont un sens particulier : on ne peut pas le déduire de l'adjectif sur lequel ils sont formés.

hard (dur)   ≠   hardly (à peine)
late (tardif)   ≠   lately (récemment)
near (proche)   ≠   nearly (presque)

 CAREFUL!

Hardly s'emploie avec un verbe à la forme affirmative.
   Hardly anyone came. I can **hardly** believe it.
   Presque personne n'est venu. Je peux à peine le croire.

◗ Quelques mots peuvent être soit adjectifs (ils modifient un nom), soit adverbes.

	adjectif	adverbe
early	matinal	de bonne heure
fast	rapide	rapidement
late	tardif	en retard
hard	dur	durement, fort

• These are **hard** <u>times</u>. That's why they're working **hard**.
Les temps sont durs [adj.]. C'est pourquoi ils travaillent dur [adv.].

164 Les adverbes de degré

◗ Les adverbes de degré modifient des adjectifs. Ils expriment une **intensité** qui va du faible (*a little* : un peu) au très élevé (*very* : très).

a little, a bit	quite	really	too
un peu	vraiment, tout à fait	vraiment, réellement	trop
enough	rather, fairly	so	very
assez	plutôt, assez	si	très

◗ Les adverbes de degré se placent **avant** l'adjectif.

• I'm **a little** nervous.
Je suis un peu angoissé.

• They're **rather** nice.
Ils sont plutôt sympas.

◗ *Enough* fait exception : il se place toujours **après** l'adjectif qu'il modifie.

• You're not **old enough** to go out. (~~enough old~~)
Tu n'es pas **assez âgé** pour sortir.

 CAREFUL!

Attention : « *enough* + nom » = « **assez de** + nom ».

Do we have enough crisps ?
Est-ce qu'on a assez de chips ?

So et *such* peuvent tous deux se traduire par « si, tellement ». Mais **so** est suivi d'un adjectif et **such** de « adjectif + nom ».

> ◦ Jo is **so unpleasant** and Luke is **such a nice boy**.
> Jo est si antipathique et Luke est un garçon si gentil.

⚠ CAREFUL!

Attention à l'ordre des mots avec *such* :

such a nice boy	**such** nice people
un garçon si gentil	des gens si gentils

165 Les adverbes de fréquence

 Les adverbes de fréquence modifient un verbe.

always	usually	rarely	never
toujours	d'habitude	rarement	ne... jamais
often	sometimes	hardly ever	
souvent	parfois	presque jamais	

▶ Les adverbes de fréquence se placent **entre le sujet et le verbe**.

> ◦ We **often** eat in the canteen.
> Nous mangeons souvent à la cantine.

> ◦ Do you **often** work on Sundays?
> Est-ce que vous travaillez souvent le dimanche ?

⚠ CAREFUL!

Never et *hardly ever* s'emploient avec un verbe à la forme affirmative.

We **never** go out.
Nous ne sortons jamais.

We **hardly ever** go out.
Nous ne sortons presque jamais.

« Tu n'es pas assez âgé pour sortir. »

▶ Les adverbes de fréquence se placent **après** le verbe *be*, les **auxiliaires** et les **modaux**.

- • They <u>are</u> **often** tired.
  Ils sont souvent fatigués.
- • She <u>has</u> **often** said that.
  Elle a souvent dit cela.
- • I <u>will</u> **never** forget you.
  Je ne t'oublierai jamais.

Training

1 L'ordinateur a mélangé tous les mots ! Remets-les dans le bon ordre.

1. really / was / Patty / tired

....

2. nice / brother / so / her / is

....

3. isn't / enough / she / to / say / stupid / that

....

4. often / train / she / by / travel / does / ?

....

Corrigés p. 347

166 Les adverbes de liaison

▶ Les adverbes de liaison introduisent une nouvelle proposition tout en créant un lien logique avec ce qui précède. Ils se placent souvent **en début de proposition**.

actually	indeed	therefore
en fait	en effet	par conséquent
anyway	perhaps, maybe	though
de toute façon	peut-être	pourtant
however	still	thus
cependant	quand même	ainsi

Maybe you're right but **frankly**, I don't care.
Tu as peut-être raison, mais ça m'est franchement égal.

This is one possibility. **However**, there are others.
C'est une possibilité. Cependant, il y en a d'autres.

 CAREFUL!

En début de proposition, *though* est une conjonction (bien que). En fin de phrase, *though* est un adverbe (pourtant).

I'll do it **though** I don't want to.
Je le ferai, bien que je ne veuille pas.

She's my best friend. I hate her brother **though**.
C'est ma meilleure amie. Pourtant, je déteste son frère.

▶ *Still* peut signifier « quand même » ou « encore », selon le contexte.

You lied to me, but you're **still** my friend.
Tu m'as menti, mais tu es quand même mon ami.

I'm **still** thirsty.
J'ai encore soif.

167 Les adverbes de temps et de lieu

▶ Les adverbes de temps et de lieu modifient une phrase.

– Adverbes de temps

afterwards	now	soon	today
après	maintenant	bientôt	aujourd'hui
eventually	once	then	later
finalement	autrefois	alors	plus tard

– Adverbes de lieu

above	behind	here	there
plus haut	derrière	ici	là, là-bas

Ces adverbes se placent surtout **en fin de phrase**.

I want to see them **now**.
Je veux les voir maintenant.

All the bedrooms are **upstairs**.
Toutes les chambres sont en haut.

Training

2 Coche le mot qui convient.

1. You will succeed if you work ❑ hard ❑ hardly.

2. She has been to Japan ❑ late ❑ lately.

3. I don't know if I read ❑ fast ❑ fastly enough.

4. It's ❑ near ❑ nearly half past two.

5. She took the ❑ late ❑ lately train to Brussels.

6. He ❑ kind ❑ kindly offered me some chocolates.

Corrigés p. 347

168 Cas particuliers

▶ Certains adverbes peuvent se placer entre le sujet et le verbe, mais **après** le verbe *be*, les **auxiliaires** et les **modaux**. C'est le cas de :

already (déjà)   nearly (presque)
also (aussi)   only (seulement)
even (même)   probably (probablement)
ever (jamais)   last (pour la dernière fois)
just (juste)   still (encore)

- They **probably** live here.
  Ils vivent probablement ici.
- They <u>are</u> **probably** tired.
  Ils sont probablement fatigués.
- She <u>has</u> **really** worked hard.
  Elle a vraiment travaillé dur.
- We <u>could</u> **still** catch the last train.
  On pourrait encore attraper le dernier train.

▶ *Really* peut se placer avant ou après *do not*, mais la nuance n'est pas la même.

- I don't **really** like them. ≠ I **really** don't like them.
  Je ne les aime pas vraiment. ≠ Je ne les aime vraiment pas.

174

▶ **Too** et **also** /ɔːlsəʊ/ signifient « aussi », mais généralement *too* se place en fin de phrase et *also* avant le verbe.

> • I **also** speak German. I speak German **too**.
> Je parle aussi allemand.

Training

3 Réécris les phrases en intégrant les adverbes entre paren-thèses à la place qui convient.

1. We've wanted to go to Egypt. (always)

....

2. My cousin Alice is on holiday. (maybe)

....

3. I've talked to your parents about you. (often)

....

4. I will miss you. In fact I miss you. (really – already).

....

Corrigés p. 347

VOCABULAIRE

Décrire quelqu'un

As naked as the day he was born.
[Aussi nu que le jour de sa naissance.] Prov. : Nu comme un ver.

169 Identity (*l'identité*)

- a first name — un prénom
- a family name, a surname, a last name — un nom de famille
- a person (pl. people) — une personne
- a girl /ɜː/ — une fille
- a boy — un garçon
- a 'woman (pl. women /'wɪmɪn/) — une femme
- a man (pl. men) — un homme
- an ID /aɪˈdiː/ — une pièce d'identité
- a 'passport — un passeport
- information — des renseignements
- natio'nality — la nationalité
- date of birth /ɜː/ — la date de naissance
- fingerprints — les empreintes digitales

On an ID, there is a lot of personal information: the person's surname and first name, his/her nationality, date of birth, fingerprints and signature.

Sur une pièce d'identité, il y a beaucoup de renseignements personnels : le nom de famille et le prénom de la personne, sa nationalité, sa date de naissance, ses empreintes digitales et sa signature.

Le passeport américain

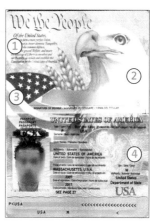

Sur le passeport des États-Unis, en plus de l'identité de son possesseur, on trouve les symboles du pays.

1. Le préambule de la Constitution des États-Unis (l'ensemble des lois fondamentales du pays) signée en 1787 et en vigueur depuis 1789 ; il en explique les principes et les objectifs.

2. L'aigle Pygargue à tête blanche, choisi en 1782 par le Congrès continental, emblème national.

3. Le drapeau américain, qui avait à l'origine 13 étoiles et 13 bandes pour symboliser les 13 colonies qui ont déclaré leur indépendance (il y a aujourd'hui 50 étoiles, pour les 50 États).

4. Le grand sceau des États-Unis avec le Pygargue tenant dans ses serres un rameau d'olivier et 13 flèches, et la devise *E pluribus unum* (« de plusieurs, un »).

170 Physical appearance (*l'apparence physique*)

Looks (*le physique*)

good-looking, 'beautiful beau
handsome beau [pour un homme]
pretty /prɪti/ joli
'ugly laid

Height /haɪt/ (*la taille*)

tall, big grand
small, short petit

PHYSICAL APPEARANCE

Age (*l'âge*)

young /jʌŋ/ jeune
old âgé, vieux

Weight /weɪt/ (*le poids*)

fat gros
slim mince
thin maigre
skinny /skɪni/ très maigre

▶ to look (+ adj.) avoir l'air
▶ to look like (+ nom) ressembler à

171 The face (*le visage*)

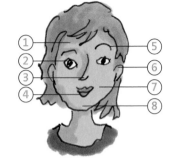

1. the 'forehead — le front
2. an eye /aɪ/ — un œil
3. the nose — le nez
4. the mouth /maʊθ/ — la bouche
5. an 'eyebrow — un sourcil
6. the ear /ɪə/ — l'oreille
7. the cheek /iː/ — la joue
8. the chin — le menton

Apprends la liste ci-dessus, puis cache-la et essaie de nommer les éléments numérotés du dessin.

▶ an 'eyelash — un cil
▶ a tooth (pl. teeth) — une dent
▶ the lips — les lèvres
▶ the skin — la peau
▶ freckles — des taches de rousseur
▶ a beard /ɪə/ — une barbe

Listen! 🎧

My English teacher is Irish. He's got red hair, a red moustache, green eyes and a lot of freckles all over his face: on his cheeks, his forehead and even on his chin.

Mon professeur d'anglais est irlandais. Il a les cheveux roux, une moustache rousse, les yeux verts et beaucoup de taches de rousseur sur tout le visage : sur les joues, le front et même sur le menton.

172 Hair (*les cheveux*)

▶ brown /aʊ/ — châtain
▶ dark — brun, foncé
▶ fair — blond, clair
▶ blond — blond
▶ red — roux

❱ short	court
❱ frizzy	frisé, crépu
❱ curly	bouclé
❱ straight /streɪt/	raide
❱ bald /ɔː/	chauve

173 The body (*le corps*)

1. the head /e/	la tête
2. the neck	le cou
3. the 'shoulder	l'épaule
4. the chest	la poitrine
5. the arm	le bras
6. the 'elbow	le coude
7. the wrist /rɪst/	le poignet
8. the hand	la main
9. a finger	un doigt
10. the thumb /θʌm/	le pouce
11. the waist /eɪ/	la taille
12. the thigh /aɪ/	la cuisse
13. the knee /niː/	le genou
14. the leg	la jambe
15. the ankle	la cheville
16. the foot (pl. feet)	le pied
17. a toe	un orteil

Apprends la liste ci-dessus, puis cache-la et essaie de nommer les éléments numérotés du dessin.

Listen! 🎧

His hands look really funny: he's got small wrists but long fingers and tiny thumbs. And look at his knees!

Ses mains ont l'air vraiment drôles : il a de petits poignets mais de longs doigts et des pouces minuscules. Et regarde ses genoux !

174 **Clothes** /kləʊðz/ **(les vêtements)**

❱ to wear* /eə/	porter [un vêtement]
❱ fashionable	à la mode
≠ old-fashioned	démodé
❱ casual /ˈkæʒjuəl/	décontracté
≠ formal	habillé
❱ matching	assorti

❱ a shirt /ɜː/	une chemise
❱ a blouse /aʊ/	un chemisier
❱ trousers /aʊ/ 🇬🇧, pants 🇺🇸	un pantalon
❱ a sweater /ˈswetə/, a jumper	un pull-over
❱ a skirt /ɜː/	une jupe
❱ a dress	une robe
❱ a jacket	une veste
❱ a suit /suːt/	un costume, un tailleur
❱ a tracksuit	un survêtement
❱ a coat /əʊ/	un manteau
❱ a raincoat	un imperméable
❱ socks	des chaussettes
❱ tights /taɪts/	un collant

chequered /ˈtʃekəd/
à carreaux

striped /aɪ/
rayé

⚠ CAREFUL!

Trousers, *pants* et *jeans* sont toujours au pluriel ▶78 car ces vêtements sont formés de deux parties identiques (deux jambes). Pour dire « un pantalon », on dit *a pair of trousers*.
Hair est au singulier quand il désigne la chevelure ▶75.

Dans la vie de tous les jours ▶ 209-212

VOCABULAIRE • L'INDIVIDU

To go to school, English pupils wear a shirt, a tie and a sweater or a jacket. Girls have to wear a skirt but boys wear trousers. Their uniforms look like suits.

Pour aller à l'école, les élèves anglais portent une chemise, une cravate et un pull-over ou une veste. Les filles doivent porter une jupe mais les garçons portent un pantalon. Leurs uniformes ressemblent à des costumes.

17.5 Shoes and accessories (*chaussures et accessoires*)

▶ boots	des bottes
▶ trainers 🇬🇧, sneakers 🇺🇸	des baskets
▶ slippers	des chaussons
▶ a hat	un chapeau
▶ a woollen hat	un bonnet en laine
▶ a cap	une casquette
▶ a scarf /ɑː/ (pl. scarves)	une écharpe, un foulard
▶ a tie /aɪ/	une cravate
▶ gloves /ʌ/	des gants
▶ an um'brella	un parapluie
▶ a 'handbag	un sac à main
▶ a belt	une ceinture
▶ 'sunglasses	des lunettes de soleil
▶ jewels /dʒuːəlz/	des bijoux
▶ a watch	une montre
▶ a 'necklace /ləs/	un collier
▶ a ring	une bague
▶ 'earrings	des boucles d'oreille

Colours 🇬🇧, colors 🇺🇸 (*les couleurs*)

⚪ white /aɪ/	🔴 red	🟣 pink
⚫ black	🟣 purple /ɜː/	🟠 orange /ɒrɪndʒ/
🔵 blue /uː/	🟤 brown	⚪ grey
🟢 green	🟡 yellow	⚪ beige /beɪʒ/

183

Training

1 Voici Harry. Coche ce qui correspond à sa description.

1. This is:

❑ a young girl ❑ an old man ❑ a young boy

2. He is:

❑ tall and fat ❑ tall and thin ❑ small and slim

3. He has got:

❑ a big mouth ❑ a big nose ❑ a small nose

❑ dark hair ❑ big earrings ❑ blond hair

4. He is wearing:

❑ a blue skirt ❑ blue trousers ❑ a blue suit

❑ a shirt ❑ a skirt ❑ a sweater

❑ a cap ❑ a hat ❑ a scarf

❑ boots ❑ trainers ❑ tights

Corrigés p. 347

176 Personality (*la personnalité*)

▶ to have* a good/bad temper	avoir bon/mauvais caractère
▶ shy /aɪ/	timide
▶ 'careful	prudent
▶ proud /praʊd/	fier
▶ (un)fair	(in)juste

Qualities

Good qualities

nice /aɪ/, kind /aɪ/ gentil
in'telligent intelligent
'friendly amical
'sensible raisonnable
helpful serviable
'funny drôle
brave, cou'rageous courageux
'skillful /ɪ/ habile, adroit

Bad qualities

nasty, mean /iː/ méchant
silly, stupid stupide
'lazy paresseux
selfish égoïste
touchy /ˈtʌtʃi/ susceptible
clumsy /ˈklʌmzi/ maladroit

Les goûts et les sentiments ▶ 182-189

Tony has got a very good temper. He is nice, helpful and sensible. He's never mean or selfish. I'm proud to be his friend.

Tony a très bon caractère. Il est sympa, serviable et raisonnable. Il n'est jamais méchant ou égoïste. Je suis fier d'être son ami.

2 **Trouve le contraire des mots suivants :**

1. skillful ≠ ....

2. nasty ≠ ....

3. intelligent ≠ ....

4. generous ≠ ....

5. fair ≠ ....

Corrigés p. 347

Parler de sa famille

Prov. : Tel père, tel fils.

177 My family (*ma famille*)

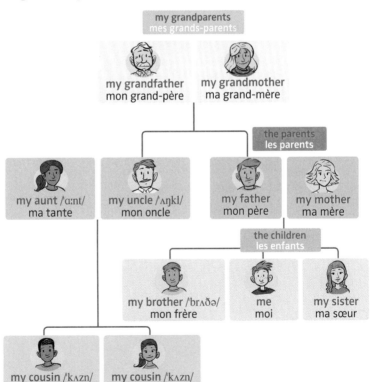

my grandparents
mes grands-parents

my grandfather
mon grand-père

my grandmother
ma grand-mère

the parents
les parents

my aunt /ɑːnt/
ma tante

my uncle /ʌŋkl/
mon oncle

my father
mon père

my mother
ma mère

the children
les enfants

my brother /ˈbrʌðə/
mon frère

me
moi

my sister
ma sœur

my cousin /kʌzn/
mon cousin

my cousin /kʌzn/
ma cousine

186

- a child /aɪ/ (pl. 'children /ɪ/)   un enfant
- a son   un fils
- a daughter /dɔːtə/   une fille
- a nephew /nefjuː/   un neveu
- a niece /niːs/   une nièce

My father has got three sisters, and my mother has got two brothers: so, I've got three aunts and two uncles. They all have sons and daughters, so I've got lots of cousins!

Mon père a trois sœurs, et ma mère a deux frères : donc, j'ai trois tantes et deux oncles. Ils ont tous des fils et des filles, donc j'ai beaucoup de cousins !

178 Marriage /'mærɪdʒ/ *(le mariage)*

- single   célibataire
- in love (with)   amoureux (de)
- engaged   fiancé
- a 'wedding   un mariage [la cérémonie]
- the (wedding) ring   l'alliance
- to get* married to   se marier avec
- to marry sb   épouser qqn
- the bride /aɪ/   la mariée
- the (bride)groom   le marié
- the wife /aɪ/ (pl. wives)   l'épouse
- the 'husband   le mari
- to break* up, to split* up   se séparer
- separated   séparé
- to get* di'vorced, to di'vorce   divorcer
- a half-brother/-sister   un demi-frère/une demi-sœur
- widowed   veuf
  - ∟ a widow   une veuve
  - ∟ a widower   un veuf

Careful!

my father-in-law ⎫
                  ⎬ mon beau-père ⎰ le père de ma femme/
my stepfather   ⎭   ⎱ de mon mari
                                   ⎰ le 2ᵉ mari de ma mère

my mother-in-law ⎫
                  ⎬ ma belle-mère ⎰ la mère de ma femme/
my stepmother   ⎭   ⎱ de mon mari
                                   ⎱ la 2ᵉ femme de mon père

Listen! 🎧

I went to Patricia's wedding last Saturday! She got married to that handsome boy, Frank! She was wearing a wonderful gown, they formed a lovely couple.

Je suis allé au mariage de Patricia samedi dernier ! Elle s'est mariée avec ce beau garçon, Frank ! Elle portait une robe superbe, ils formaient un couple adorable.

La famille royale d'Angleterre

▶ La famille d'Elizabeth II, qui est devenue reine d'Angleterre en 1952, est sans doute une des plus célèbres du monde. Mariés en 1947, Elizabeth et le prince Philip ont eu quatre enfants. L'aîné, le Prince Charles (dont l'ex-épouse Lady Diana est morte tragiquement dans un accident de voiture à Paris en 1997), est l'héritier du trône puis, dans l'ordre, son fils aîné William et les enfants de ce dernier et de son épouse Kate Middleton : le prince George (né en 2013) et la princesse Charlotte (née en 2015).

Pour en savoir plus

@ Vous pouvez suivre la famille royale sur le site officiel : www.royal.uk

Training

1 Reconstitue les paires à partir des noms suivants, comme dans l'exemple.

1. sister / *brother*......................
5. niece / ....
2. uncle / ....
6. half-brother / ....
3. grandfather / ....
7. husband / ....
4. son / ....
8. stepmother / ....

Corrigés p. 347

179 Children and education
(les enfants et l'éducation)

▶ to be* 'pregnant	être enceinte
▶ to expect a baby	attendre un bébé
▶ to be* born	naître, être né
▶ a birth /ɜː/	une naissance
▶ childhood /aɪ/	l'enfance
▶ to bring* up a child	élever un enfant
▶ to look after	s'occuper de
▶ an only child	un enfant unique
▶ twins	des jumeaux
▶ mum /ʌ/, mummy	maman
▶ dad, daddy	papa
▶ a nanny	une nounou
▶ a childminder	une nourrice
▶ good ≠ naughty /nɔːti/	gentil, sage ≠ vilain, méchant
▶ po'lite /aɪ/ ≠ rude /uː/	poli ≠ impoli, grossier
▶ loving	affectueux
▶ strict	sévère
▶ to kiss	embrasser
▶ to punish /ʌ/	punir
▶ to scold	gronder
▶ to spoil*	gâter
▶ to o'bey sb	obéir à qqn

"My son is naughty and rude with everybody, and he never obeys me!" "Do you sometimes scold him?" "No, I don't. Do you think I spoil him?" "Well, I know it is difficult to bring up children. But I believe that, if you love them, you must be strict with them."

« Mon fils est méchant et grossier avec tout le monde et il ne m'obéit jamais ! – Est-ce que vous le grondez parfois ? – Non. Vous pensez que je le gâte trop ? – Eh bien, je sais qu'il est difficile d'élever des enfants. Mais je crois que, si on les aime, il faut être sévère avec eux. »

⚠ Careful!

Pour parler de l'aîné(e) de la famille, on utilise *the elder* (comparatif) lorsqu'il y a deux enfants et *the eldest* (superlatif) lorsqu'il y en a trois ou plus.

180 Growing up and getting old (*grandir et vieillir*)

▶ to be* ... years old   avoir ... ans
▶ youth /juːθ/   la jeunesse
▶ a 'teenager   un adolescent
▶ an 'adult   un adulte
▶ middle-aged   d'un certain âge
▶ to grow* old, to get* old   vieillir
▶ life /aɪ/ ≠ death /deθ/   la vie ≠ la mort
▶ dead /ded/   mort
▶ to die /daɪ/   mourir

When you are a child or a teenager, you dream of growing up and becoming an adult... but old people will tell you that youth and life go by too quickly.

Quand on est enfant ou adolescent, on rêve de grandir et de devenir adulte... mais les personnes âgées vous diront que la jeunesse et la vie passent trop vite.

CAREFUL!

• Pour dire : « Je suis né(e) en… », on utilise *be* au prétérit, car il s'agit forcément d'un événement passé : *I **was** born in 1999.*

• Pour demander l'âge de quelqu'un, on dit : *How old are you?* ▶ 149 et on répond par exemple : *I **am** thirteen years old* (j'ai treize ans). On utilise donc *be* ▶ 2 .

• Pour dire : « Il est mort en… », on emploie le verbe *to die* au prétérit : *he **died** in 1990.*

181 Family life (*la vie de famille*)

▶ the young	les jeunes
▶ siblings	les frères et soeurs
▶ to get* on well (with)	bien s'entendre (avec)
▶ to trust /ʌ/	faire confiance à
▶ to love	aimer
▶ to care for sb	prendre soin de qqn, tenir à qqn
▶ to understand*	comprendre
▶ a misunder'standing	un malentendu
▶ to mis'trust	ne pas faire confiance à
▶ to argue /ɑːgjuː/,	
∟ to have an 'argument	se disputer
▶ to not care about sth	se ficher de qqch.
▶ to be* fed up (with)	en avoir assez (de)
▶ to fight*	se bagarrer, se battre

Sometimes, the young don't get on well with the adults.
They feel their parents don't understand them. They argue about education, fashion or pocket money.

Parfois, les jeunes ne s'entendent pas avec les adultes. Ils ont le sentiment que leurs parents ne les comprennent pas. Ils se disputent à propos d'éducation, de mode ou d'argent de poche.

Training

2 Coche la bonne réponse.

1. When a woman is expecting a baby, she is:
❏ naughty ❏ rude ❏ polite ❏ pregnant

2. She doesn't have any brothers and sisters, she is:
❏ an only child ❏ a childminder ❏ a teenager ❏ an adult

3. We are three children in the family, and my brother Tom is:
❏ the elder ❏ the eldest ❏ younger ❏ old

4. A fourteen-year-old boy is:
❏ an only child ❏ an old boy ❏ middle-aged ❏ a teenager

5. Children often call their mother:
❏ nanny ❏ mummy ❏ daddy ❏ lonely

6. Two babies born on the same day from the same mother are:
❏ cousins ❏ twins ❏ nannies ❏ nephews

7. If you don't get on well with your parents, you sometimes:
❏ understand ❏ grow up ❏ argue ❏ trust

Corrigés p. 347

192

Les goûts et les sentiments

A hungry man is an angry man.
[Un homme qui a faim est un homme en colère.] Prov. : Ventre affamé n'a pas d'oreilles !

182 Likes (*ce que l'on aime*)

❯ to like	aimer
❯ to like + V-ing	aimer faire qqch.
❯ to pre'fer, to like … better / best	préférer
❯ I'd (would) rather	je préférerais
❯ favourite /ˈfeivərɪt/	préféré
❯ to be* crazy/mad about	être fou de
❯ to be* keen on	être emballé par
❯ to feel* like	avoir envie de
❯ to be* fond of	être amateur de
❯ to enjoy	prendre plaisir à
❯ to be* interested in	s'intéresser à
❯ to be* worth /wɜːθ/ (+ V-ing)	valoir la peine de (+ V)
❯ tastes	les goûts

In my spare time, I like reading but I prefer comics to novels.
I also enjoy watching series on TV. I'm crazy about *Desperate
Housewives*. I think it's really worth seeing!

Pendant mon temps libre, j'aime lire mais je préfère les BD aux
romans. J'aime aussi regarder des séries à la télé. Je suis fou de
Desperate Housewives. Je pense que ça vaut vraiment la peine
d'être vu !

193

CAREFUL!

Pour parler de ses préférences, il existe plusieurs expressions et constructions.

> She prefers English to German.
> Elle préfère l'anglais à l'allemand.

> She likes English better than German.
> Elle aime mieux l'anglais que l'allemand.

> He loves languages and English is the one he likes best.
> Il adore les langues et l'anglais est celle qu'il préfère.

183 Dislikes (ce que l'on n'aime pas)

▶ to dislike	ne pas aimer
▶ to hate	détester
▶ I can't stand/bear /beə/	je ne supporte pas
▶ I don't mind /aɪ/	ça m'est égal
▶ I don't care /keə/	je m'en fiche
▶ it doesn't matter	ça ne fait rien
▶ it's all the same to me	ça m'est égal

Listen! 🎧

I hate doing the housework and I can't stand doing the washing-up, whereas my brother doesn't mind. So, it doesn't matter if *he* always does it... Does it?

Je déteste faire le ménage et je ne supporte pas de faire la vaisselle, alors que mon frère, lui, ça ne le dérange pas. Donc, ça ne fait rien si c'est lui qui la fait toujours... N'est-ce pas ?

 **Training**

1 Classe ces verbes et expressions en allant de ce que tu aimes le plus (♥) à ce que tu aimes le moins (✖).

I can't stand • I'm interested (in) • I'm fond (of) • I love • I hate • I don't mind.

(♥) ....(✖)

Corrigés p. 347

L'humour britannique

▶ L'humour est dit-on avec le phlegme, une qualité toute britannique. Toute la littérature en est marquée, ainsi que les adaptations cinématographiques (la série des *Bridget Jones*) et surtout les séries télévisées (*Mr Bean*, *The Vicar of Dibley*). L'humour est essentiellement basé sur des comiques de situation, des personnages exagérés et des gags visuels « crus », mais on peut aussi trouver des mots d'esprit d'une grande finesse.

Pour en savoir plus

@ Tu peux visionner des épisodes de Mr Bean sur YouTube : bit.ly/BAC-183

184 'Happiness (*le bonheur*)

▶ happy	heureux
▶ enthusi'astic	enthousiaste
▶ 'merry	joyeux
▶ delighted /di'laɪtɪd/	ravi
▶ pleased /pliːzd/, glad /æ/	content
└ pleasure /pleʒə/	le plaisir
▶ 'cheerful	gai
▶ in a good mood/'temper	de bonne humeur
▶ to smile /aɪ/	sourire
▶ to laugh /lɑːf/	rire
└ laughter (indén.)	le rire
▶ ex'citing	passionnant, captivant
▶ to have* fun, to enjoy oneself	s'amuser

Listen!

It's always a pleasure to see my best friend because she's the most cheerful and enthusiastic girl I know. She always laughs, and she is always in a good mood.

C'est toujours un plaisir de voir ma meilleure amie parce que c'est la fille la plus gaie et la plus enthousiaste que je connaisse. Elle rit tout le temps et elle est toujours de bonne humeur.

185 Sadness (*la tristesse*)

▶ sad	triste
▶ 'miserable	malheureux
└ 'misery	le malheur
▶ grief /iː/	le chagrin
▶ disap'pointed	déçu
▶ de'pressed	déprimé
▶ 'desperate /ˈdesprət/	désespéré
└ des'pair	le désespoir
▶ to cry, to weep*	pleurer
▶ to sob	sangloter
▶ to burst* into tears	fondre en larmes
▶ to feel* bored	s'ennuyer
▶ boring, dull /ʌ/	ennuyeux
▶ annoyed	contrarié

When I'm sad or depressed, I sigh all the time. And I often feel like crying: I can easily burst into tears or sob.

Quand je suis triste ou déprimé, je soupire tout le temps. Et j'ai souvent envie de pleurer : je peux facilement fondre en larmes ou sangloter.

186 Anger /ˈæŋɡə/ (*la colère*)

▶ to be* 'angry at/with sb	être en colère contre qqn
▶ to lose* one's temper	se mettre en colère
▶ to make* sb angry	mettre qqn en colère
▶ furious /ˈfjʊəriəs/	très en colère
▶ cross (with)	fâché (contre)
▶ to be* fed up with/sick of	en avoir marre de
▶ to get* on sb's nerves /nɜːvz/	taper sur les nerfs de qqn
▶ to pick on sb	s'en prendre à qqn
▶ to drive* sb mad/crazy	rendre fou qqn

I'm fed up with my sister! She's always picking on me! That gets on my nerves and makes me so angry with her.

J'en ai marre de ma sœur ! Elle s'en prend tout le temps à moi ! Ça me tape sur les nerfs et ça me met tellement en colère contre elle.

187 Fear /fɪə/ *(la peur, la crainte)*

▶ frightening	effrayant
▶ frigthened /ˈfraɪtənd/, scared	effrayé
▶ to frighten /aɪ/,	effrayer, faire
▶ to scare /skeə/	peur à
▶ fright /fraɪt/	la peur, l'effroi
▶ to be scared to death	être mort de peur

▶ to be afraid of	avoir peur de
▶ to fear	craindre, avoir peur de
∟ fearful	peureux, craintif
▶ to faint	s'évanouir
▶ to dread /e/	redouter
∟ dreadful	redoutable

My brother is afraid of everything: any animal can frighten him, a tiny mouse can make him faint and he is scared to death every time he sees a spider!

Mon frère a peur de tout : n'importe quel animal peut l'effrayer, une minuscule souris peut le faire s'évanouir et il est mort de peur à chaque fois qu'il voit une araignée !

188 Hopes and regrets *(les espoirs et les regrets)*

▶ to hope	espérer
∟ 'hopeful	plein d'espoir
∟ 'hopeless	sans espoir, désespéré
▶ to wish	souhaiter

▶ to ex'pect	s'attendre à, compter sur
▶ to be 'sorry	être désolé
▶ to re'gret	regretter
▶ to a'pologise	s'excuser
└ apologies	des excuses
▶ to for'give*	pardonner
▶ unfortunately /ʌnˈfɔːtʃənətli/	malheureusement
▶ It's a 'pity!	C'est dommage !

I'm really sorry. I'd like to apologise and tell you how much I regret it. I hope you'll forgive me. Unfortunately, you don't want to listen to me…

Je suis vraiment désolé. J'aimerais m'excuser et te dire combien je regrette. J'espère que tu me pardonneras. Malheureusement, tu ne veux pas m'écouter.

 CAREFUL!

To wish exprime un souhait avec un présent mais il exprime un regret avec un prétérit ▶22 tout comme *if only*.

I wish I can succeed.
Je souhaite pouvoir réussir.

I wish you were with me now.
Je regrette que tu ne sois pas avec moi maintenant.

189 Sur'prise (*la surprise*)

▶ sur'prised /aɪ/	surpris	
▶ sur'prising /aɪ/	surprenant	
▶ unex'pected	inattendu	
▶ unbe'lievable	incroyable	
▶ 'shocking	révoltant	
▶ a'mazing /eɪ/	stupéfiant	
▶ amazed	stupéfait	
▶ re'lieved	soulagé	
▶ relief /riˈliːf/	le soulagement	

198

Training

2 Coche ce que tu NE peux PAS dire dans les situations suivantes (une seule réponse à chaque fois).

1. Si tu passes un bon moment chez des amis :
❑ I'm enjoying myself.   ❑ I'm having fun
❑ It's so boring to be here. ❑ I'm so happy to be here.

2. Si tu es content(e) de rencontrer quelqu'un :
❑ I'm glad to meet you. ❑ I'm delighted to see you.
❑ Pleased to meet you. ❑ I'm disappointed to see you.

3. Si tu te sens triste :
❑ I'm very sad. ❑ I feel like crying. ❑ I'm cheerful. ❑ I feel miserable.

4. Si tu as peur de quelque chose :
❑ I'm afraid of this. ❑ I'm frightened. ❑ I'm scared. ❑ I'm dreadful.

5. Si tu es en colère contre quelqu'un :
❑ I'm angry with you. ❑ I'm fed up with you.
❑ You're really fearful. ❑ You're getting on my nerves.

6. Si tu es surpris(e) :
❑ I'm so surprised! ❑ I'm really hopeless!
❑ It's unbelievable! ❑ How amazing!   [Corrigés p. 347]

Listen!

"Wow! This film was a real surprise! The main actor is unbelievable and the end is really unexpected!"
"True, and the special effects were just amazing!"

« Waouh ! Ce film, c'était vraiment une surprise ! L'acteur principal est incroyable et la fin est vraiment inattendue !
– C'est vrai, et les effets spéciaux étaient tout simplement stupéfiants ! »

 CAREFUL!

Surprised, amazed et relieved sont des adjectifs ▶122 formés sur des participes passés (sens passif). Surprising, amazing et shocking sont des adjectifs formés sur des participes présents (sens actif).

Saluer, se présenter, inviter

A friend in need is a friend indeed.
[Un ami, quand on est dans le besoin, est vraiment un ami.]
Prov. : C'est dans le besoin qu'on reconnaît ses amis.

190 Greetings *(les salutations)*

Hello! /həˈləʊ/ *Bonjour !*

Hi! /haɪ/ Salut ! Bonjour !
Good 'morning! Bonjour !
[avant midi]
Good after'noon! Bonjour !
[après midi]
Good 'evening! Bonsoir !
Good night! Bonne nuit !
Nice/Glad/Pleased /pliːzd/
to meet you!
Ravi(e) de vous/te rencontrer !
'Welcome (to)...
Bienvenue (à/en)...

Good'bye! Bye! *Au revoir !*

See you soon! À bientôt !
See you later! À plus tard !
See you on Monday! À lundi !
Say hello to X from me.
Dis bonjour à X de ma part.
Give my love to X.
Mes amitiés à X.

Listen!

"Good morning Mrs Smith, nice to meet you! "
"Hello, Tom, I'm pleased to meet you too. Welcome to England!"

« Bonjour, Mme Smith, enchanté de faire votre connaissance.
– Bonjour, Tom, je suis ravie de te rencontrer moi aussi.
Bienvenue en Angleterre ! »

191 Introductions (*les présentations*)

▶ My name is…, I am…	Je m'appelle…
▶ This is…, Here is…	Voici…
▶ to meet	rencontrer, faire la connaissance de
▶ Have you met X?	Avez-vous fait la connaissance de X ?
▶ I'd like you to meet X.	J'aimerais vous/te présenter X.
▶ to introduce /ˌɪntrəˈdjuːs/	présenter
▶ May I introduce you to X?	Puis-je vous/te présenter X ?

Décrire quelqu'un ▶ 169-176

Hello, my name is Mrs Johnson, I'm your English teacher, and this is Jane, our English assistant. I'd also like you to meet Deborah, a new pupil.

Bonjour, je m'appelle Mme Johnson, je suis votre professeur d'anglais, et voici Jane, notre assistante d'anglais. J'aimerais aussi vous présenter Deborah, une nouvelle élève.

192 Polite words (*les politesses*)

▶ Please /iː/…	S'il vous plaît… S'il te plaît…
▶ Excuse me…	Pardon… Excuse(z)-moi.
▶ Pardon? /pɑːdn/	Pardon ?
▶ "How are you?"	« Comment ça va ?
"Very well, thank you."	– Très bien, merci. »
▶ Thank /θæŋk/ you very much!	Merci beaucoup.
Thanks a lot!	
▶ You're 'welcome!	De rien !
▶ Don't mention it.	Je vous en prie. Je t'en prie.
▶ Would you mind /maɪnd/ (+ V-ing)?	Cela vous/te dérangerait-il de… ?

Listen!

"Excuse me, sir, could you help me with my exercise, please? Would you mind explaining this again?" "All right, I'm coming." "Thank you."

« Excusez-moi, monsieur, vous pourriez m'aider à faire mon exercice, s'il vous plaît ? Est-ce que ça vous dérangerait de ré-expliquer ? – D'accord, j'arrive. – Merci. »

Training

1 Raye l'intrus dans chaque liste.

1. Hello! • Hi! • Good morning! • Goodbye!

2. Goodbye! • Bye! • See you! • Welcome!

3. Nice to meet you. • Pleased to see you. • See you later. • Glad to meet you.

4. Have you met Alex? • May I introduce you to Alex? • Have you introduced Alex? • I'd like you to meet Alex.

5. Pardon? • Would you mind repeating? • Have you met my friend Paul? • Excuse me.

6. See you next week. • You're welcome. • Don't mention it.

Corrigés p. 347-348

193 Invitations /ɪnvɪˈteɪʃnz/ **(les invitations)**

In'viting sb *(inviter qqn)*	Accepting or refusing an invitation *(accepter ou refuser une invitation)*
Would you like to (+ V)? Voudrais-tu / Voudriez-vous (+ V)? to come* over for dinner/lunch/tea venir dîner/déjeuner/goûter to come* in entrer to sit* down, to have* a seat s'asseoir to make* oneself comfortable /kʌmfətəbl/ se mettre à l'aise to bring* /brɪŋ/ sth apporter qqch.	Sure! /ʃʊə/ Bien sûr ! All right! OK ! D'accord ! Great! /eɪ/ Super ! I'd love to j'aimerais beaucoup to be* sorry être désolé, regretter to be* busy /bɪzi/ être occupé

▶ a guest	un invité
▶ to 'celebrate	fêter, faire la fête
▶ to socialize /ˈsəʊʃəlaɪz/	rencontrer, discuter
▶ a 'party	une fête
▶ an anni'versary	un anniversaire [commémoration]
▶ a birthday /ˈbɜːθdeɪ/	un anniversaire [jour de naissance]
▶ graduation /ˌɡrædʒuˈeɪʃn/	la remise des diplômes [cérémonie]
∟ to graduate	obtenir un diplôme
▶ a date	une date, un rendez-vous [souvent amoureux]
▶ a 'family 'gathering	une réunion de famille

Parler de sa famille ▶ 177-181 • Fêtes et traditions ▶ 296-304

 CAREFUL!

Pour suggérer, faire une proposition, on peut utiliser *what about* ou *how about* + V-*ing* (« et si on + imparfait ») ou *would you like to* + V.

"Would you like to go to the cinema with me tonight?" "Well, I'd love to, but I'm busy tonight. What about going tomorrow?"
« Tu voudrais aller au cinéma avec moi ce soir ? – Eh bien, j'aimerais beaucoup, mais je suis prise ce soir. Et si on y allait demain ? »

 Listen!

For my 15th birthday, I'd like to have a big party at home with all my friends, but my parents don't want me to. They say we'll celebrate when I graduate!

Pour mes 15 ans, j'aimerais organiser une grande fête à la maison avec tous mes amis, mais mes parents ne veulent pas. Ils disent qu'on fera la fête quand j'aurai mon bac !

194 Wishes (*les souhaits*)

▶ (God) bless you!	À vos/tes souhaits ! [quand on éternue]
▶ Cheers! /ɪə/	À votre/ta santé ! [en trinquant]
▶ Good luck! /ʌ/	Bonne chance !
▶ Best wishes!	Meilleurs vœux !

- Congratulations! /kəngrætjuˈleɪʃnz/   Félicitations !
- Get well soon!   Bon rétablissement !
- Have* a nice day!   Bonne journée !
- Happy New Year!   Bonne année !

(Fêtes et traditions ▶ 296-304)

Les pubs

▶ Le « pub » (abréviation de *public house*) est une institution au Royaume-Uni. Lieu de vie où les Britanniques se retrouvent après le travail pour discuter ou boire une bière (dans le *beer garden* s'il fait assez beau !), on le reconnaît par l'enseigne illustrée au-dessus

de la porte, qui indique son nom (*The Red Lion*, *The King's Head*...). On peut aussi y manger (souvent très bien) et écouter les groupes de musique qui s'y produisent parfois.

Training

2 Quelle est la traduction qui convient ? Coche la bonne réponse.

1. Viens dîner ce soir !

❑ Come over for dinner tonight!   ❑ Sit down and have dinner!
❑ Bring something for dinner tonight!

2. un anniversaire de mariage

❑ a wedding party   ❑ a wedding birthday   ❑ a wedding anniversary

3. ma fête d'anniversaire

❑ my anniversary celebration   ❑ my birthday celebration
❑ my birthday party

4. fêter (un événement)

❑ to graduate   ❑ to celebrate   ❑ to socialize

5. Merci beaucoup !

❑ Thank you!   ❑ Thanks lots of times!   ❑ Thanks a lot!

6. À tes souhaits !

❑ Bless you!   ❑ Best wishes!   ❑ Cheers!   (Corrigés p. 348)

À la maison

An Englishman's home is his castle.
[La maison d'un anglais est son château.]
Prov. : Chacun est maître chez soi.

195 Moving in (s'installer)

▶ a house	une maison
▶ a flat 🇬🇧, an a'partment 🇺🇸	un appartement
▶ a block of flats 🇬🇧, an apartment building 🇺🇸	un immeuble résidentiel
▶ to live /ɪ/	habiter
▶ to move	déménager
▶ to own	posséder
▶ the owner	le propriétaire
▶ to rent	louer
▶ to build* /bɪld/	construire
▶ to renovate	rénover
▶ to repair	réparer
▶ to paint	peindre
▶ to go* upstairs / downstairs	monter / descendre

When my parents decided to buy a house, we were scared because we would have to move. They eventually had a house built, because they didn't want to renovate one.

Quand mes parents ont décidé d'acheter une maison, on avait peur parce qu'on allait devoir déménager. Finalement, ils ont fait construire une maison, parce qu'ils ne voulaient pas en rénover une.

196 An English house (*une maison anglaise*)

1. a fence	une clôture
2. a gate	un portail
3. a porch	un porche
4. a door	une porte
5. a window	une fenêtre
6. the roof	le toit
7. a chimney	une cheminée [conduit]
8. a step	une marche
9. the garage /ˈgærɑːʒ/	le garage
10. the kitchen garden	le jardin potager
11. the lawn /ɔː/	la pelouse
12. the 'greenhouse	la serre

Apprends la liste ci-dessus, puis cache-la et essaie de nommer les éléments numérotés du dessin.

▶ the floor /ɔː/, the ground	le sol
▶ the cellar	la cave
▶ the basement	le sous-sol
▶ the ground floor	le rez-de-chaussée
▶ the attic	le grenier
▶ the stairs	l'escalier

Les maisons victoriennes

▶ Les maisons victoriennes forment le paysage urbain en Grande-Bretagne. Elles ont été construites massivement au XIXᵉ siècle lors de la révolution industrielle et de l'afflux des travailleurs dans les villes. Leur nom vient de la reine Victoria (1837-1901).

▶ Elles peuvent être individuelles (*detached*), mitoyennes d'un côté (*semi-detached*) ou des deux (*terraced*), et reflètent la classe sociale de leurs habitants. Au rez-de-chaussée (*ground floor*) on trouve les pièces à vivre, tandis qu'au premier étage (*first floor*), on trouve les chambres et la salle de bains.

a detached house   semi-detached houses   terraced houses

A typical Victorian house, built during Queen Victoria's reign, usually has a porch, a bay window, a basement with a cellar to store coal, and sash windows.

Une maison victorienne typique, construite pendant le règne de la reine Victoria, comprend généralement un porche, une fenêtre en saillie, un sous-sol avec une cave pour stocker le charbon, et des fenêtres à guillotine.

1 Associe chaque mot à son contraire.

1. downstairs   ≠ ....
2. the attic   ≠ ....
3. terraced (houses) ≠ ....
4. to switch on   ≠ ....
5. to own   ≠ ....

Corrigés p. 348

Living and dining rooms
(séjour et salle à manger)

1. a curtain /ˈkɜtn/	un rideau
2. a carpet	un tapis
3. a fireplace	une cheminée
4. a fire	un feu
5. a log	une bûche
6. a settee, a sofa	un canapé
7. a chair	une chaise
8. a stool	un tabouret
9. a table	une table
10. a lamp	une lampe
11. a television set	une télévision
12. a remote control	une télécommande

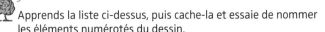

Apprends la liste ci-dessus, puis cache-la et essaie de nommer les éléments numérotés du dessin.

▶ furniture /ˈfɜːnɪtʃə/ [indén.]	les meubles
▶ a heater	un radiateur
▶ cosy	douillet
▶ 'comfortable	confortable
▶ to switch on / off	allumer / éteindre
▶ to work	marcher, faire marcher

Listen!

For me, the living room is the most comfortable room in my house: it's very cosy. I love watching TV on the settee.

Pour moi, le salon est la pièce la plus confortable de la maison : c'est très douillet. J'adore regarder la télé dans le canapé.

198 The kitchen (*la cuisine*)

the cupboard /ˈkʌbəd/	l'armoire, le placard
the freezer	le congélateur
the fridge	le réfrigérateur
the kitchen sink	l'évier
the cooker, the stove	la cuisinière
the oven	le four
the microwave oven	le four à micro-ondes
the dishwasher	le lave-vaisselle
the washing machine	le lave-linge

Dans la vie de tous les jours ▶ 209-214 • À table ▶ 215-222

199 The bedroom (*la chambre*)

a bed	un lit
a sheet	un drap
a blanket	une couverture
a duvet, a quilt	une couette
a pillow	un oreiller
a bedside table	une table de chevet
a bookcase	une bibliothèque
a wardrobe	une armoire
a drawer	un tiroir
└ a chest of drawers	une commode
a desk	un bureau
a shelf (pl. shelves)	une étagère
a mirror	une glace, un miroir
a socket	une prise électrique
speakers	des enceintes
a computer	un ordinateur

À la maison

VOCABULAIRE • LE QUOTIDIEN

209

Listen!

My parents have decided to redecorate my bedroom. They have bought a new bedside table, a chest of drawers and a wardrobe. I'm so excited!

Mes parents ont décidé de refaire ma chambre. Ils m'ont acheté une nouvelle table de chevet, une commode et une armoire. Je suis tellement content !

200 The bathroom (*la salle de bains*)

- the basin /ˈbeɪsn/ le lavabo
- to brush one's teeth se brosser les dents
- a toothbrush une brosse à dents
- toothpaste du dentifrice
- a brush une brosse
- a comb /kəʊm/ un peigne

- the shower /ʃaʊə/ la douche
- a bath un bain, une baignoire
- soap du savon
- shampoo du shampooing
- a towel /taʊəl/ une serviette
- to dry sécher
- dry ≠ wet sec ≠ mouillé

(Dans la vie de tous les jours ▶ 209-214)

Listen!

"Did you take your shower?" "Yes, mummy! And I even used soap and shampoo! And I put my towel to dry!"

« Tu as pris ta douche ? – Oui, maman. J'ai même utilisé du savon et du shampooing ! Et j'ai mis ma serviette à sécher ! »

Training

2 Complète avec le mot qui convient.

1. You wash the dishes with a ....

2. You wash sheets and blankets with a ....

3. You wipe dust with a ....

4. You cook a pie in an ....

5. You change channels on TV with a ....

6. You can make a fire in the ....

7. You dry your hair with a ....

Corrigés p. 348

Fais comme chez toi !

À l'école

Practice makes perfect.
[La pratique rend parfait.]
Prov. : C'est en forgeant
qu'on devient forgeron.

201 School systems (*les systèmes scolaires*)

In France		In Great Britain		In the USA	
PS	École maternelle	Nursery school		Pre-school	
MS				Pre-kindergarten	
GS		Year 1		Kindergarten	
CP	École primaire	Year 2	Primary school	1st grade	Elementary school
CE1		Year 3		2nd grade	
CE2		Year 4		3rd grade	
CM1		Year 5		4th grade	
CM2		Year 6		5th grade	
6ᵉ	Collège	Year 7	Secondary school	6th grade	Junior high school
5ᵉ		Year 8		7th grade	
4ᵉ		Year 9		8th grade	
3ᵉ		Year 10		9th grade	
2ᵉ	Lycée	Year 11		10th grade	Senior high school
1ʳᵉ		Year 12	6th form	11th grade	
Tˡᵉ		Year 13		12th grade	

◗ Diplômes :

GCSE (General Certificate of Secondary Education) [entre 14 et 16 ans]
A level (Advanced Level) [entre 16 et 18 ans]
High school diploma [vers 18 ans]

L'école britannique

▶ En Grande-Bretagne, les élèves portent des uniformes aux couleurs de leur école, avec leur blason. Il n'y a pas de CPE ; c'est souvent le *vice-principal* qui s'occupe des problèmes de vie scolaire. Les tâches de surveillance sont souvent prises en charge par les professeurs ou par des élèves plus âgés (les *prefects*). Le matin, une grande réunion (*assembly*) a lieu : tous les élèves reçoivent des recommandations pour la journée. Peu d'écoles sont équipées de cantine ; la plupart des écoliers apportent leur sandwich dans des boîtes spéciales (*lunch boxes*).

202 Staff and rooms (le personnel et les locaux)

▶ the head (master/mistress)	le/la principal(e), le/la proviseur(e)
▶ the deputy head, the vice principal	le principal, le proviseur adjoint
▶ a teacher	un professeur
▶ to teach*	enseigner
▶ to ex'plain	expliquer
▶ to train	former
▶ the (school) li'brarian	le documentaliste
▶ the school nurse /nɜːs/	l'infirmier scolaire
▶ the careers /kəˈrɪəz/ adviser	le conseiller d'orientation
▶ the social worker	l'assistant social
▶ the staff room	la salle des profs
▶ a 'classroom	une salle de classe
▶ the 'corridor	le couloir
▶ the 'schoolyard	la cour (de récréation)
▶ the lab, the la'boratory	le laboratoire
▶ the gym'nasium	le gymnase
▶ the canteen	la cantine
▶ the 'sickroom	l'infirmerie
▶ a boarding school	un internat

Listen! 🎧

There aren't just pupils and teachers in a school. Here, we have a headmaster and a deputy head. The school nurse and the careers adviser are with us once a week only.

Il n'y a pas seulement des élèves et des professeurs dans une école. Ici, nous avons un principal et un principal adjoint. L'infirmière scolaire et la conseillère d'orientation ne sont avec nous qu'une fois par semaine.

203 The 'timetable (*l'emploi du temps*)

▶ a period   une heure de cours   ▶ the break   la récréation
▶ a 'subject   une matière [scolaire]   ▶ the bell   la sonnerie

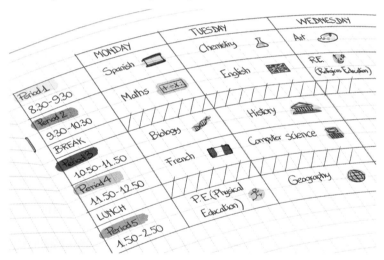

Listen! 🎧

In my timetable, there are scientific subjects, like maths, chemistry or biology, but there are also languages: I learn English and Spanish. But of course, I study French too!

Dans mon emploi du temps, il y a des matières scientifiques, comme les maths, la chimie ou la biologie, mais il y a aussi les langues : j'apprends l'anglais et l'espagnol. Mais bien entendu, j'étudie aussi le français !

204 School ma'terials (*les fournitures scolaires*)

1. a 'pencil case — une trousse
2. a pen — un stylo
3. a pencil /pensəl/ — un crayon
4. a marker /mɑːkə/, a felt pen — un marqueur, un feutre
5. a ruler — une règle
6. a rubber 🇬🇧, an e'raser 🇺🇸 — une gomme
7. glue /gluː/ — de la colle
8. scissors /'sɪzəz/ — des ciseaux
9. a calculator — une calculatrice

Apprends la liste ci-dessus, puis cache-la et essaie de nommer les éléments numérotés du dessin.

◗ a 'schoolbag — un cartable
◗ a textbook — un manuel
◗ a binder /aɪ/ — un classeur
◗ a 'copybook — un cahier
◗ a diary /daɪəri/ — un agenda
◗ a highlighter /haɪlaɪtə/ — un surligneur
◗ to stick* — coller
◗ chalk /tʃɔːk/ — de la craie
◗ the (black)board /bɔːd/ — le tableau (noir)
◗ the digital board — le tableau numérique

"What do you have in your schoolbag?" "Well, I have my books, my copybooks, my diary, and a pencil case with all my materials."

« Qu'est-ce que tu as dans ton cartable ? – Eh bien, j'ai mes livres, mes cahiers, mon agenda et une trousse avec tout mon matériel. »

215

1 Traduis les mots suivants.

1. la récréation : ....

2. écouter : ....

3. un cahier : ....

4. l'emploi du temps : ....

5. un agenda : ....

6. une règle : ....

Corrigés p. 348

205 The lessons (*les cours*)

▶ a pupil /ˈpjuːpəl/, a student 🇺🇸	un élève
▶ to study	étudier
▶ to work	travailler
▶ to learn* /ɜː/	apprendre
▶ to under'stand*	comprendre
▶ to know*	savoir, connaître
▶ a class	un cours [matière]
▶ a 'lesson, a 'period	un cours [une heure de cours]
▶ a form 🇬🇧, a grade 🇺🇸	une classe [niveau]
▶ 'easy /iː/	facile
≠ 'difficult	≠ difficile
▶ 'interesting	intéressant
≠ 'boring	≠ ennuyeux
▶ to speak*	parler
▶ to listen (to)	écouter
▶ to read*	lire
▶ to write*	écrire
▶ to ask	poser une question
▶ to answer /ˈɑːnsə/	répondre
▶ to think*	réfléchir
▶ to re'member	se souvenir
▶ to for'get*	oublier
▶ to pay* attention to	être attentif(-ve) à

206 Schoolwork (*le travail scolaire*)

▶ 'homework [indén.]	les devoirs
▶ to do* one's homework	faire ses devoirs
▶ an assignment	un devoir [maison]
▶ an 'exercise /aɪ/	un exercice
▶ a paper	un devoir
▶ a test	un devoir sur table
▶ a presen'tation	un exposé
▶ a mark /mɑːk/ 🇬🇧, a grade 🇺🇸	une note
▶ the average /'ævərɪdʒ/	la moyenne
▶ to be* good / bad at	être bon / mauvais en
▶ a (school) re'port	un bulletin scolaire
▶ to pass an exam	réussir un examen
▶ to succeed ≠ to fail /eɪ/	réussir ≠ échouer

''Oh no! I got my report for this term! My marks are bad, the average is seven out of twenty! If I fail this year, I will not get my diploma!''

« Oh non ! J'ai eu mon bulletin pour ce trimestre ! Mes notes sont mauvaises, ma moyenne est de 7/20. Si j'échoue cette année, je n'aurai pas mon diplôme ! »

⚠ CAREFUL!

Homework est indénombrable ▶73. On ne met donc jamais de -s !
We have plenty of homework. On a plein de devoirs.

Training

2 Relie chaque mot à sa traduction.

1. to fail	•	• **a.** la moyenne
2. a mark	•	• **b.** une note
3. a marker	•	• **c.** une craie
4. a piece of chalk	•	• **d.** un feutre
5. the average	•	• **e.** échouer

Corrigés p. 348

207 Instructions (*les consignes*)

- to cross out — barrer
- to re'peat — répéter
- to under'line — souligner
- to pick — choisir, relever
- to match — associer
- to quote /kwəʊt/ — citer
- to tick — cocher
- to fill in — remplir
- to cor'rect — corriger

- a word /wɜːd/ — un mot
- a 'sentence — une phrase
- a phrase — une expression
- a 'dictionary /dɪkʃənri/ — un dictionnaire
- a mis'take — une erreur
- to spell — épeler
  - └ the spelling — l'orthographe
- to trans'late — traduire
  - └ a translation — une traduction

Listen! 🎧

In the first paragraph, underline the name of the character. Then pick the word that he or she pronounces, and translate it. You can use a dictionary.

Dans le premier paragraphe, souligne le nom du personnage. Puis relève le mot qu'il ou elle prononce, et traduis-le. Tu peux utiliser un dictionnaire.

208 Behaviour /bɪˈheɪvjə/ (*le comportement*)

- to be* late — être en retard
- to oversleep* — se réveiller trop tard
- to listen (to sb) — écouter (qqn)
- to follow — suivre
- to cheat /tʃiːt/ — tricher
- to chat /tʃæt/ — bavarder

▶ to bully /ˈbʊli/	maltraiter
└ a bully	un petit tyran
▶ hardworking	travailleur
▶ bad, naughty /ˈnɔːti/	méchant
▶ talkative /ˈtɔːkətɪv/	bavard
▶ rude	grossier

Training

3 Complete the blanks with words taken from the list.

spell • behaviour • late • translate • chat • mistakes • dictionary •
bully • talkative • correct • quote • word (x 2)

1. In a ...., you will find the definition for a ....
you don't know.

2. If you .... in class, the teacher will probably ask you
to stop. Being .... is not appreciated at school!

3. She spoke German, so I had to .... for my mother
who can't speak a .... of German.

4. I don't like that kind of .... He should be kinder to
younger students. He acts like a real ....!

5. To .... Oscar Wilde, "experience is only the name
we give our ....".

6. "How do you .... monarchy?" "M-O-N-A-R-C-H-Y"

7. .... me if I'm wrong, but you were ....
yesterday, weren't you?

(Corrigés p. 348)

Dans la vie de tous les jours

Don't put off till tomorrow what you can do today.
Prov. : Ne remets jamais au lendemain ce que tu peux faire le jour même.

209 In the morning (*le matin*)

▶ routine	ce qu'on fait tous les jours
▶ to wake* /eɪ/ up	se réveiller
▶ to get* up	se lever
▶ to have* breakfast	prendre le petit déjeuner
▶ to have* a shower /ʃaʊə/	prendre une douche
▶ to wash	(se) laver
▶ to brush /brʌʃ/ one's teeth /iː/	se brosser les dents
▶ to shave	se raser
▶ to put* on one's clothes /kləʊðz/	mettre ses vêtements
▶ to get* dressed	s'habiller
▶ to comb /kəʊm/ one's hair	se peigner, se coiffer
▶ to leave* /iː/ home	quitter la maison
▶ to go* to school	aller à l'école
▶ to walk /wɔːk/	aller à pied
▶ to run*	courir
▶ to take* / to miss the bus	prendre / rater le bus
▶ to take* the underground 🇬🇧/ the subway 🇺🇸	prendre le métro

⚠ CAREFUL!

Lorsque l'on parle de ce qu'on fait tous les jours et de ses habitudes actuelles, on utilise le présent simple ▶13.

Listen!

On schooldays, I get up at 6:30 a.m. First, I have a shower and get dressed. After breakfast, I brush my teeth, comb my hair and I leave home at 7:35 because I take the bus at 7:40.

Les jours d'école, je me lève à 6 h 30. D'abord, je prends une douche et je m'habille. Après le petit déjeuner, je me brosse les dents, je me coiffe et je quitte la maison à 7 h 35 car je prends le bus à 7 h 40.

210 At school (à l'école)

to get* to school	arriver à l'école
to be* late	être en retard
to be* on time	être à l'heure
to be* early	être en avance
to have* a lesson/a class	avoir un cours
to have* lunch	déjeuner
at the canteen 🇬🇧, at the cafeteria 🇺🇸	à la cantine

Training

1 Voici le début de journée de Shirley. Associe chaque image à ce qui la commente le mieux.

a. She walks to school.
b. She gets up 15 minutes later.
c. She has a shower.
d. She wakes up at 7:00 a.m.
e. She has breakfast.
f. She combs her hair.
g. She brushes her teeth.

1. ....

2. ....

3. ....

4. ....

Corrigés p. 348

VOCABULAIRE • LE QUOTIDIEN

211 After school (après l'école)

- to get* (back) home — rentrer à la maison
- to have* tea — prendre le thé
- to have a snack — goûter
- to do* one's 'homework — faire ses devoirs
- to complete /kəm'pliːt/ one's 'homework — finir ses devoirs
- to learn* /ɜː/ — apprendre

- extracurricular activities — les activités extra-scolaires
- outings — les sorties
- to watch 'television — regarder la télévision
- to play — jouer
- to look after — s'occuper de
- to go* out — sortir
- to hang* about with friends — traîner avec des copains

- a 'mobile phone 🇬🇧, a cell phone 🇺🇸 — un téléphone portable
- to phone — téléphoner
- a text (message) — un texto, un sms
- to text — envoyer des sms

Une vie après l'école

 Dans la plupart des pays anglo-saxons, l'école se termine plus tôt qu'en France. Le reste de l'après-midi peut donc être consacré à d'autres activités : *extracurricular activities* (club informatique, théâtre, chorale, sport...) ou encore petits boulots (*odd jobs*) pour gagner un peu d'argent de poche. Environ 30 % des adolescents britanniques travaillent quelques heures par semaine, souvent en fin d'après-midi ou le soir mais aussi parfois le week-end.

"Stop playing with your mobile phone!" "I'm not playing, Mum, I'm sending Alice a text." "But you haven't completed your homework yet! You must work now!"

« Arrête de jouer avec ton téléphone portable ! – Je ne joue pas, maman, j'envoie un texto à Alice. – Mais tu n'as pas encore fini tes devoirs ! Tu dois travailler maintenant ! »

2 Que fait Liam ? Formule des phrases complètes (utilise le présent en *-ing* ▶15-17).

1. ....
2. ....
3. ....
4. ....

Corrigés p. 348

212 Later in the evening (*plus tard le soir*)

▶ to have* dinner	dîner
▶ to undress	se déshabiller
▶ pyjamas [pl.]	un pyjama
▶ to have* a wash	faire sa toilette
▶ to go* to bed	aller au lit
▶ to read* a story	lire une histoire
▶ to fall* /fɔːl/ asleep	s'endormir
▶ to sleep*	dormir

213 Doing the housework (*faire le ménage*)

- to tidy (up) — ranger, faire du rangement
  - └ tidy /ˈtaɪdi/ ≠ ˈmessy — rangé, soigné ≠ en désordre
- to make* one's bed — faire son lit

- to do* the shopping — faire les courses
- to do* the cooking — faire la cuisine
- to set* / to lay* the table — mettre la table
  - ≠ to clear the table — ≠ débarrasser la table
- to do* the washing-up 🇬🇧 / the dishes 🇺🇸 — faire la vaisselle
- to empty the dishwasher — vider le lave-vaisselle
- to take* the bin/the trash out — sortir la poubelle

- to clean /iː/ — nettoyer
- to wipe /aɪ/ — essuyer
- to hoover 🇬🇧, to vacuum /ˈvækjuːm/ — passer l'aspirateur
- to sweep* — balayer
- to dust — épousseter
- to iron /ˈaɪən/ (clothes) — repasser (des vêtements)
- a sponge — une éponge
- a broom — un balai
- a duster — un chiffon

(À la maison ▶ 195-200)

Listen! 🎧

In my family, we all do the housework. We all have to make our beds and tidy our rooms. I set the table and my brother clears it. Dad hoovers and Mum irons our clothes.

Dans ma famille, nous faisons tous le ménage. Nous devons tous faire notre lit et ranger notre chambre. C'est moi qui mets la table et mon frère qui la débarrasse. Papa passe l'aspirateur et Maman repasse nos vêtements.

214 As the week goes by (*au fil de la semaine*)

▶ 'usually /juːʒuəli/	habituellement
▶ seldom	rarement
▶ before ≠ after	avant ≠ après
▶ every day	tous les jours
▶ every week	toutes les semaines
▶ once /wʌns/ (a day)	une fois (par jour)
▶ twice /aɪ/ (a day)	deux fois (par jour)
▶ three times (a day)	trois fois (par jour)
▶ in the morning	le matin
▶ in the afternoon	l'après-midi
▶ in the evening	le soir
▶ at night	le soir tard
▶ at the weekend	le week-end

Training

3 Comment dire en anglais...

1. Que tu t'es endormi tard hier ?
❑ **a.** I fell asleep late. ❑ **b.** I went to bed late. ❑ **c.** I slept late.

2. Que tu as cours de français une fois par jour ?
❑ **a.** I do my French homework once a day.
❑ **b.** I have a French class twice a day.
❑ **c.** I have a French class once a day.

3. Que tu ne fais pas ton lit tous les matins ?
❑ **a.** I tidy my bedroom every day.
❑ **b.** I don't dust my bed every morning.
❑ **c.** I don't make my bed every morning.

4. Que tu dois vider la poubelle tous les soirs ?
❑ **a.** I have to empty the trash every evening.
❑ **b.** I have to take the bin out every day.
❑ **c.** I have to tidy the kitchen every evening.

5. Que ton père repasse ses chemises le weekend ?
❑ **a.** My father hoovers his shirts at the weekend.
❑ **b.** My father irons his shirts at the weekend.
❑ **c.** My father irons his shirts every week.

Corrigés p. 348

225

À table

You can't make an omelette without breaking eggs.
Prov. : On ne fait pas d'omelette sans casser des œufs.

215 Meat and fish (la viande et le poisson)

Meat (la viande)

mutton le mouton
lamb /læm/ l'agneau
beef le bœuf
veal le veau
pork le porc
ham le jambon
'sausages les saucisses
'poultry la volaille
chicken le poulet
turkey la dinde
eggs les œufs

Fish (le poisson)

'salmon le saumon
tuna /tjuːnə/ le thon
crab le crabe
a shrimp une crevette
seafood les fruits de mer

Mutton ou sheep?

▶ Guillaume le Conquérant, qui venait de Normandie et parlait français, a envahi l'Angleterre en 1066. À la cour d'Angleterre, les nobles utilisaient donc le français pour désigner la viande qu'ils avaient les moyens de manger tandis que les paysans, descendants des Saxons, continuaient à utiliser des noms d'origine germanique. Ainsi *calf* désigne le veau vivant mais *veal* la viande de veau. De même pour *sheep* et *mutton*, *ox* et *beef*, *pig* et *pork*.

216 Fruit and 'vegetables (*les fruits et légumes*)

Vegetables (*les légumes*)

lettuce salade verte, laitue
a carrot une carotte
a potato une pomme de terre
an aubergine 🇬🇧,
an eggplant 🇺🇸 une aubergine
a courgette 🇬🇧,
a zucchini 🇺🇸 une courgette
an artichoke un artichaut
asparagus spears des asperges
spinach /ˈspɪnɪdʒ/ épinards
a cabbage un chou
a cauliflower un chou-fleur
a cucumber un concombre
peas des petits pois
a pepper un poivron
a mushroom un champignon
French beans, green beans des haricots verts
an onion un oignon
garlic de l'ail

Fruit (*les fruits*)

an apple une pomme
a ba'nana une banane
a 'lemon un citron
an 'orange une orange
a 'grapefruit un pamplemousse
a peach une pêche
a pear /eə/ une poire
an 'apricot un abricot
a 'strawberry une fraise
a 'raspberry une framboise
a cherry une cerise
grapes /greɪps/ du raisin
a 'pineapple /ˈpaɪnæpl/ un ananas
a to'mato une tomate
an avo'cado un avocat

Cereals and side dishes
(*céréales et accompagnements*)

rice du riz
pasta des pâtes
corn du maïs
mashed potatoes de la purée
lentils des lentilles
beans des haricots

Listen!

Our neighbours have become vegetarians. They eat almost only green vegetables like peas or French beans. When they invite us for dinner, they often cook ratatouille, with aubergine, pepper and courgette, garlic and onion. I love it!

Nos voisins sont devenus végétariens. Ils mangent presque uniquement des légumes verts comme les petits pois ou les haricots verts. Quand ils nous invitent à dîner, ils font souvent de la ratatouille avec des aubergines, des poivrons et des courgettes, de l'ail et des oignons. J'adore ça !

217 Snacks (*les en-cas*)

▶ to be* hungry	avoir faim
▶ junk food	la malbouffe
▶ vending ma'chines	les distributeurs
▶ takeaway	à emporter
▶ 'balanced	équilibré
▶ fat	gras
▶ bread /bred/	du pain
▶ cheese	du fromage
▶ chips ⬛, (French) fries ⬛	des frites
▶ crisps ⬛, chips ⬛	des chips
▶ biscuits ⬛, cookies ⬛	des petits gâteaux
▶ ice cream	de la glace
▶ a cake	un gâteau
▶ a pie /paɪ/	une tourte, une tarte
▶ pancakes	des petites crêpes
▶ a waffle	une gaufre
▶ chocolate	du chocolat

⚠ CAREFUL!

Certains noms désignant la nourriture sont indénombrables ▶73-74.
Pour désigner une portion, on ajoute un autre mot :

a slice of bread   a piece of cake
une tranche de pain   une part de gâteau

Junk food is a problem for children nowadays: they like fizzy
drinks, crisps, which they can get from vending machines, but
their diet is not balanced.

La nourriture de mauvaise qualité est un problème pour les
enfants, de nos jours : ils aiment les boissons gazeuses, les chips,
qu'ils peuvent avoir dans des distributeurs, mais leur régime n'est
pas équilibré.

218 Drinks (*les boissons*)

▶ thirst	la soif
└ to be* thirsty /ˈθɜːsti/	avoir soif
▶ tea	du thé
▶ coffee	du café
└ white coffee	du café au lait
▶ milk	du lait
▶ cream	de la crème
▶ still water	de l'eau plate
≠ sparkling water	≠ de l'eau pétillante
▶ orange juice	du jus d'orange
▶ fizzy drinks	les boissons gazeuses

At the restaurant, meals usually do not include the drinks: you have to ask for still water or sparkling water if you don't want to die of thirst!

Au restaurant, les repas en général n'incluent pas la boisson : on doit demander de l'eau plate ou de l'eau pétillante si on ne veut pas mourir de soif !

1 Quel mot correspond à chacune de ces définitions ?

1. C'est l'ingrédient principal du repas de Thanksgiving : ....

2. Le mot qui désigne les chips en GB : ....

3. Quand les pommes de terre sont écrasées : ....

4. C'est une tarte recouverte de pâte : ....

5. Si on n'aime pas les bulles : ....

6. Un petit fruit rond et rouge : ....

7. Cette céréale fait souvent « pop » quand on la cuit : ....

Corrigés p. 348

219 Cooking (*cuisiner*)

Ingredients
(*les ingrédients*)

- 'butter du beurre
- flour /auə/ de la farine
- 'honey du miel
- oil de l'huile
- pepper le poivre
- salt le sel
- sugar /ʃugə/ du sucre
- 'vinegar du vinaigre

Taste
(*le goût*)

- 'bitter amer
- hot épicé
- mild /aɪ/ doux
- sweet doux, sucré
- tasty qui a du goût
- a flavour un goût, un parfum

Cooking
(*cuisiner, faire cuire*)

- to bake faire cuire au four
- to boil bouillir
- to fry faire frire
- to roast faire rôtir
- to 'season assaisonner
- to steam cuire à la vapeur
- to stew /stju:/ faire mijoter

Utensils
(*les ustensiles*)

- a pan une poêle
- a recipe book /resɪpi/
  un livre de recettes
- a 'saucepan une casserole
- a whip un fouet
- a rolling pin
  un rouleau à pâtisserie

| raw /rɔ:/ | rare | 'medium | well-done |
| cru | saignant | à point | bien cuit |

Listen! 🎧

My parents like poultry, while my brother prefers red meat, particularly when it's rare. I can't stand it when it's raw.

Mes parents aiment la volaille, tandis que mon frère préfère la viande rouge, particulièrement quand elle est saignante. J'ai horreur de ça, quand c'est cru.

À la maison ▶ 195-200

220 Meals (*les repas*)

▶ to have* a meal	prendre un repas
▶ to eat*	manger
▶ to drink*	boire
▶ breakfast	le petit déjeuner
▶ lunch	le déjeuner
▶ dinner	le dîner
▶ supper	le souper
▶ to have* tea	prendre le goûter, le thé
▶ pudding 🇬🇧, a des'sert /dɪˈzɜːt/	du dessert, un dessert

In England, you usually have a big breakfast, a light lunch and an early dinner.

En Angleterre, on prend généralement un copieux petit déjeuner, un déjeuner léger, et on dîne de bonne heure.

Le petit déjeuner anglais et le thé

▶ Le petit déjeuner traditionnel salé, *British breakfast*, composé d'œufs au lard (*bacon and eggs*), saucisses (*sausages*) et haricots blancs à la sauce tomate (*baked beans*) est de plus en plus souvent remplacé par le *continental breakfast*, fait de café, pain (*bread*) et viennoiseries (*pastry*). Le thé du matin (*morning tea*) n'est pas le même que celui de l'après-midi.

▶ Les Britanniques prennent souvent du thé à la place de l'eau pour accompagner le repas et, dans certaines familles, on prend encore vers 18 heures le *high tea* qui tient lieu de dîner.

221 Setting the table (*mettre la table*)

1. a spoon	une cuillère
2. a fork	une fourchette
3. a knife /naɪf/	un couteau
4. a plate /eɪ/	une assiette
5. a dish	un plat
6. a glass	un verre
7. a bottle	une bouteille
8. a cup	une tasse

 Apprends la liste ci-dessus, puis cache-la et essaie de nommer les différents éléments du dessin.

▶ a 'napkin	une serviette
▶ a 'tablecloth	une nappe
▶ a 'saucer	une soucoupe
▶ a bowl /bəʊl/	un bol, un saladier
▶ to put* /ʊ/	poser
▶ to set ≠ clear the table	mettre ≠ débarrasser la table

Listen! 🎧

I hate it when I set the table, I always forget something: the plates, the forks or the knives... My mum insists that I should put the bread on a special dish. I don't see why.

Je déteste mettre la table, j'oublie toujours quelque chose : les assiettes, les fourchettes ou les couteaux... Ma mère insiste pour que je mette le pain sur un plat spécial. Je ne vois pas pourquoi.

(Dans la vie de tous les jours ▶ 209-214)

222 At the restaurant (*au restaurant*)

- a coffee shop   un salon de thé, un café-restaurant
- a 'customer   un client
- cui'sine   la cuisine [d'un pays]
- a chef   un chef
- to make a reser'vation   réserver
- the waiter, the waitress   le serveur, la serveuse
- to serve   servir
- to order   commander
- the bill   l'addition

> The menu /menju:/
> le menu
>
> today's special
> le plat du jour
>
> a 'starter
> une entrée
>
> a main course
> un plat principal
>
> a side dish
> une garniture,
> un accompagnement
>
> the children's menu
> le menu enfant

"Can I have the menu?... Thanks. What do you recommend?"
"Oh, I recommend our tuna." "What is the dish served with?"
"It's served with peas and green beans. But you can also have chips as a side dish."

« Puis-je avoir le menu ?... Merci. Que recommandez-vous ? – Eh bien, je recommande notre thon. – Avec quoi ce plat est-il servi ? – Il est servi avec des petits pois et des haricots verts. Mais vous pouvez aussi prendre des frites comme garniture. »

2 Coche dans chaque liste le mot qui designe...
1. un ustensile de cuisine : ❏ tablecloth ❏ pan ❏ napkin ❏ water
2. un goût : ❏ bitter ❏ apple ❏ boiled ❏ well-done
3. un mode de cuisson de la viande :
   ❏ waiter ❏ rare ❏ balanced ❏ tasty
4. une partie d'un menu :
   ❏ the bill ❏ the shrimp ❏ the bowl ❏ the main course
5. quelqu'un qui travaille dans un restaurant :
   ❏ a chef ❏ a spoon ❏ a customer ❏ a starter   (Corrigés p. 348)

La santé

Prov. : Une pomme chaque matin éloigne le médecin.

223 Symptoms (*les symptômes*)

▶ Ouch! /aʊtʃ/	Aïe !
▶ pain /peɪn/	la douleur
▶ to suffer	souffrir
▶ to hurt*	faire mal
▶ to ache /eɪk/	faire mal, avoir mal
└ to have* a headache /ˈhedeɪk/	avoir mal à la tête
└ to have* a stomachache /ˈstʌməkeɪk/	avoir mal au ventre
└ to have* a toothache /tuːθeɪk/	avoir mal aux dents
▶ to have* a fever /ˈfiːvə/	avoir de la fièvre
▶ to have* a sore throat /θrəʊt/	avoir mal à la gorge
▶ to have* a runny nose	avoir le nez qui coule
▶ to blow* one's nose	se moucher
▶ to cough /kɒf/	tousser
▶ to sneeze	éternuer
▶ to feel* dizzy	avoir la tête qui tourne
▶ to vomit	vomir
▶ a pimple, a spot	un bouton
▶ itchy	qui démange

VOCABULAIRE • LE QUOTIDIEN

"What's the matter with you?" "Well, I cough and sneeze. I also have a sore throat, and a stomachache. And my arm hurts... Don't touch it! Ouch!"

« Qu'est-ce qui ne va pas ? – Eh bien, je tousse et j'éternue. J'ai aussi mal à la gorge et au ventre. Et mon bras me fait mal... Ne le touche pas ! Aïe ! »

224 Diseases /dɪˈziːzɪz/ *(les maladies)*

▶ an illness	une maladie
└ to be* ill	être malade
▶ to be* sick	être malade, nauséeux
▶ a virus /ˈvaɪrəs/	un virus
▶ a cold	un rhume
▶ (to catch*) the flu /uː/	(attraper) la grippe
▶ 'asthma /ˈæsmə/	l'asthme
▶ obesity	l'obésité
▶ 'cancer	le cancer
▶ AIDS /eɪdz/	le SIDA
▶ the immune system	le système immunitaire
▶ disabled	handicapé
▶ deaf /def/	sourd
▶ blind /blaɪnd/	aveugle

1 Associe chaque phrase à sa traduction.

1. He has a cold. •   • **a.** Il éternue.
2. He is blind. •   • **b.** Il a mal à la gorge.
3. He is sick. •   • **c.** Il a un rhume.
4. He sneezes. •   • **d.** Il est malade.
5. He has a toothache. •   • **e.** Il est aveugle.
6. He has a sore throat. •   • **f.** Il a mal aux dents.

Corrigés p. 348

225 At the 'doctor's (*chez le médecin*)

- an ap'pointment — un rendez-vous
- the waiting room — la salle d'attente
- the 'surgery 🇬🇧, the office 🇺🇸 — le cabinet médical
- a GP /dʒiːˈpiː/ (general practitioner) — un médecin généraliste
- the diagnosis /daɪəgˈnəʊsɪs/ — le diagnostique
- to treat /triːt/ — soigner
  - ∟ a treatment — un traitement
- a diet /daɪət/ — un régime
  - ∟ to go* on a diet — se mettre au régime

- the dentist — le dentiste
- a tooth /tuːθ/ (pl. teeth) — une dent
- a 'cavity — une carie
- a filling — un plombage

I hate going to the dentist's, even when I have a toothache and I need a filling for a cavity.

J'ai horreur d'aller chez le dentiste, même quand j'ai mal aux dents et que j'ai besoin d'un plombage pour une carie.

226 At the chemist's (*à la pharmacie*)

- a pres'cription — une ordonnance
- 'medicine [indén.], drugs — des médicaments
- a chemist /ˈkemɪst/ 🇬🇧, a 'pharmacist 🇺🇸 — un pharmacien
- a chemist's 🇬🇧, a drugstore 🇺🇸 — une pharmacie
- a syrup — un sirop
- pills — des cachets
- a vaccine /ˈvæksiːn/ — un vaccin
- a syringe /sɪˈrɪndʒ/ — une seringue
- a plaster — un pansement
- ointment — de la pommade
- side effects — les effets secondaires

My sister is sick, I had to go to the chemist's to buy some medicine. I bought some syrup, pills and ointment.

Ma sœur est malade, j'ai dû aller à la pharmacie acheter des médicaments. J'ai acheté du sirop, des cachets et de la pommade.

Les drugstores

▶ Aux États-Unis et au Canada, on va chercher ses médicaments au comptoir d'un *drugstore*. Mais les *drugstores* sont bien différents de nos pharmacies. Ils sont ouverts tous les jours et le plus souvent près de 24h/24. On y trouve des produits cosmétiques, des journaux, de la papeterie, des friandises ou des chips et même parfois de l'alcool ou des cigarettes ! Dans beaucoup d'entre eux, on peut faire une pause autour d'une boisson ou d'un repas léger.

227 Bruises and blows (*bleus et blessures*)

▶ to fall* (down)	tomber
▶ to break* one's leg	se casser la jambe
▶ a sprain	une entorse
▶ a fracture	une fracture
▶ a plaster cast	un plâtre
└ to be* in plaster	avoir un plâtre
▶ crutches	des béquilles
▶ to burn* oneself	se brûler
▶ to cut* oneself	se couper
▶ to bleed*	saigner
▶ an injury	une blessure
▶ a wound /wuːnd/	une plaie
▶ a bruise /bruːz/	un bleu
▶ a black eye /aɪ/	un œil au beurre noir
▶ aches /eɪks/	des courbatures

(Décrire quelqu'un ▶ 169-176)

Listen! 🎧

My best friend broke his leg rollerblading. The X-ray confirmed the fracture: he was put in plaster and has now to walk with crutches.

Mon meilleur ami s'est cassé la jambe en faisant du roller. La radio a confirmé la fracture : on l'a plâtré et maintenant il doit marcher avec des béquilles.

⚠ CAREFUL!

En anglais, on utilise le déterminant possessif pour désigner les parties du corps quand en français on utilise le verbe pronominal et l'article défini !

He sprained his shoulder. Il s'est foulé l'épaule.

228 At the 'hospital (*à l'hôpital*)

▶ an 'ambulance	une ambulance
▶ an e'mergency	une urgence
└ the ER (Emergency Room)	les urgences
▶ a nurse	un infirmier
▶ a blood test	une prise de sang
▶ an injection, a shot	une piqûre
└ to give an injection	faire une piqûre
▶ an X-ray	une radio
▶ 'surgery	la chirurgie
└ the surgeon /ˈsɜːdʒən/	le chirurgien
▶ the OR (Operation Room)	la salle d'opération

229 Recovering (*se rétablir*)

▶ to re'cover — se rétablir
▶ to heal /iː/ — guérir, cicatriser
▶ to cure — guérir
▶ health /e/ — la santé
▶ healthy — en bonne santé
▶ to be* on form — avoir la forme, être en forme

 Training

2 Complète les phrases suivantes avec le mot qui convient.

1. When you have a problem with your .... you
must see a dentist.

2. If you feel .... you must see a doctor.

3. To see the doctor, you must go to his .... after asking for
an ....

4. Once you get his or her .... you must buy
the .... at the chemist's.

5. If you're a bit overweight, you can consider ....

6. If someone has an accident, he or she is usually transferred to the
.... by ....

7. Usually when you eat healthily and practice sport, you are going
on a ....

Corrigés p. 348

Les sports

« Qui est-ce qui rigole maintenant ? »
[*to have a ball*: s'amuser comme un fou]

230 Team sports (*les sports d'équipe*)

❱ a stadium /ˈsteɪdɪəm/	un stade
❱ a football ground, a football pitch 🇬🇧	un terrain de foot
❱ a team /tiːm/	une équipe
❱ practice /ɪ/, training	l'entraînement
❱ a coach	un entraîneur
❱ to change, to get* changed	se changer
└ the changing room	les vestiaires
❱ shorts	un short
❱ a jersey	un maillot
❱ trainers 🇬🇧, sneakers 🇺🇸	des tennis, des baskets
❱ a ball /bɔːl/	un ballon, une balle
❱ a match	un match
❱ a goal	un but
└ a 'goalkeeper	un gardien de but
└ to score a goal /ɡəʊl/	marquer un but
❱ a referee /refəˈriː/	un arbitre
❱ to at'tack ≠ to de'fend	attaquer ≠ défendre
❱ to kick	donner un coup de pied
❱ extra time	les prolongations
❱ football 🇬🇧, soccer 🇺🇸	le football
❱ American football 🇬🇧, football 🇺🇸	le football américain
❱ 'rugby	le rugby
❱ cricket	le cricket

Le sport aux États-Unis

▶ Certains sports sont typiquement américains, comme le baseball ou le football américain. Le baseball se joue avec des battes : le lanceur doit lancer la balle de telle sorte qu'il soit difficile pour le batteur de la frapper, ce qui lui laisserait le temps de progresser de base en base sur le terrain.

▶ Aux USA, le sport joue un rôle si important que le haut niveau athlétique de certains lycéens leur permet d'accéder à des universités prestigieuses même s'ils échouent aux tests d'entrée.

Pour en savoir plus

@ L'actualité du baseball sur le site de la Major League : mlb.com

Although we had trained a lot, the match was very tough. The team didn't score any goal, and the coach was really cross...

Malgré un entraînement intensif, le match a été très difficile. L'équipe n'a marqué aucun but, et l'entraîneur était vraiment fâché.

231 Indoor activities (*les activités d'intérieur*)

▶ gym'nastics	la gymnastique
▶ bodybuilding /bɒdibɪldɪŋ/	la musculation
▶ martial arts	les arts martiaux
▶ dancing	la danse
└ ballet dancing	la danse classique
▶ swimming	la natation
└ a swimming pool	une piscine
└ a swimsuit	un maillot de bain
▶ the breaststroke /brɛststrəʊk/	la brasse
▶ the crawl	le crawl
▶ table tennis, ping-pong	le ping-pong
▶ squash /skwɒʃ/	le squash

⚠ CAREFUL!

En anglais, pour désigner un sport, on peut employer le verbe auquel on ajoute -ing (▶ 138) : *swimming* (la natation), *dancing* (la danse).

Training

1 Associe chaque mot à sa traduction. Trouve l'intrus et donne sa traduction.

1. a coach •
2. a team •
3. a referee •
4. a goal •
5. a goalkeeper •

• **a.** un but
• **b.** un arbitre (au foot)
• **c.** un gardien de but
• **d.** un entraîneur

L'intrus est ....
(traduction : ....)

Corrigés p. 348

232 Outdoor activities (*les activités en extérieur*)

▶ tennis	le tennis
▶ a court	un court
▶ a 'racket	une raquette
▶ a net	un filet
▶ a (public) footpath	un sentier (public)
▶ hiking /aɪ/, trekking	la randonnée
└ to go* for a hike /haɪk/	faire une randonnée
▶ to jog	faire du jogging
▶ a tracksuit	un survêtement
▶ to ride* /raɪd/	monter (à cheval, à vélo)
└ horse riding	l'équitation
└ to go* for a bike ride	faire une randonnée à vélo
▶ skiing	le ski
▶ skating	le patinage
▶ ice hockey	le hockey sur glace
▶ the ice rink	la patinoire
▶ a to'boggan	une luge

Listen!

"Do you want to go hiking tomorrow, John?" "No, Dad, thanks. My friends and I are going for a bike ride. We have discovered a new footpath."

« Tu veux venir marcher demain, John ? – Non, papa, merci. Avec mes copains, on va faire une randonnée à vélo. On a trouvé un nouveau chemin. »

233 Competition (*la compétition*)

to do* sport	faire du sport
to practice /ɪ/	s'entraîner
a sportsman, a sportswoman (pl. -men/-women)	un sportif, une sportive
an athlete /ˈæθliːt/	un(e) athlète
a champion	un(e) champion(-ne)
to compete /kəmˈpiːt/	concourir
a compe'tition	un concours
an event /ɪˈvent/	une épreuve
a contest /ˈkɒntest/	une rencontre sportive
the Olympic Games, the O'lympics	les Jeux olympiques

to win* ≠ to lose* /luːz/	gagner ≠ perdre
to beat*, to defeat	battre
'victory ≠ defeat /dɪˈfiːt/	la victoire ≠ la défaite
to break* a 'record	battre un record

a cup	une coupe
a 'medal	une médaille
gold	l'or
silver	l'argent
bronze	le bronze

⚠ CAREFUL!

Quand on parle d'un sport, on n'utilise pas de déterminant ▶81 :
I play Ø football.

Listen! 🎧

The Olympic Games take place every two years; athletes can compete and try to beat the other competitors. If they lose, sportsmen are disappointed!

Les Jeux olympiques ont lieu tous les deux ans ; les athlètes peuvent concourir et essayer de battre les autres concurrents. S'ils perdent, les sportifs sont déçus.

Training

2 Classe les mots suivants dans la colonne qui convient.

hiking • a coach • jogging • a court • horse riding • a stadium • a footpath • a runner • an athlete • a swimming • pool skiing • a sportsman • an ice rink • riding a bike

outdoor activities	places	people
....	....	....
....	....	....
....	....	....
....	....	....
....	....	

(Corrigés p. 348)

Les loisirs

« Ils attendent leur heure. » [*the waiting game* : la stratégie de l'attente]

234 Playing (*jouer*)

▶ enter'tainment	le divertissement
▶ to have* fun	s'amuser
▶ a game	un jeu
└ a board /bɔːd/ game	un jeu de société
▶ a (game) console	une console (de jeux)
▶ a control pad	une manette de jeux
▶ a toy	un jouet
▶ dice (**sg.** a dice)	des dés
▶ chess [indén.]	les échecs
▶ a jigsaw puzzle	un puzzle
▶ crosswords	des mots croisés
▶ marbles	des billes
▶ a kite /kaɪt/	un cerf-volant
▶ the rules /uː/	les règles

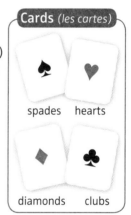

Cards (*les cartes*)

spades   hearts

diamonds   clubs

(La communication ▶ 284-291)

Listen!

When I was young, I used to play marbles and make jigsaw puzzles. Now, I love board games and chess, but it is difficult to follow the rules sometimes.

Quand j'étais jeune, je jouais aux billes et je faisais des puzzles. Maintenant j'adore les jeux de société et les échecs, mais c'est parfois difficile de suivre les règles.

235 Reading (*lire*)

Books (*les livres*)

- the cover /ʌ/ la couverture
- a writer /aɪ/ un écrivain
- an author /ɔːθə/ un auteur
- a novelist un romancier

The story (*l'histoire*)

- the main character /ˈkæ/ le personnage principal
- the narrator /nəˈreɪtə/ le narrateur
- the hero /ˈhɪərəʊ/ (pl. heroes) le héros
- the plot l'intrigue
- to 'happen / to take place se passer

Poetry /ˈpəʊɪtri/ (*la poésie*)

- a poem /ˈpəʊɪm/ un poème
- a line /aɪ/ un vers
- a stanza une strophe

The genre (*le genre*)

- a novel /ɒ/ un roman
- an account /əˈkaʊnt/, a narrative un récit
- a story /ɔː/ une histoire
  - a de'tective story une histoire policière
  - a short story une nouvelle
- a fairy tale /eɪ/ un conte de fées
- science fiction la science-fiction
- a biography /baɪˈɒ/ une biographie
- a diary /ˈdaɪəri/ un journal intime

 CAREFUL!

Pour donner l'auteur d'une œuvre, on utilise la préposition *by*.

a novel by Charles Dickens
un roman de Charles Dickens [sous-entendu : *written by*...]

Listen!

Detective stories were a new form of fiction in the 19th century. The first famous detective was invented by Edgar Poe, and was called Auguste Dupin. This character inspired Sir Arthur Conan Doyle for his Sherlock Holmes.

Les histoires policières étaient une nouvelle forme de fiction au xixe siècle. Le premier détective célèbre a été inventé par Edgar Poe et s'appelait Auguste Dupin. Ce personnage a inspiré Sir Arthur Conan Doyle pour son Sherlock Holmes.

Training

1 Recompose les mots suivants et donne leur traduction.

1. TAHER : .... (.........................)
2. WOSSDCRROS : .... (.........................)
3. BLUC : .... (.........................)
4. AUCCNOT : .... (.........................)
5. VOENL : .... (.........................)
6. RWTRIE : .... (.........................)
7. WLOLOF : .... (.........................)

Corrigés p. 349

236 Watching a film (*regarder un film*)

▶ a film 🇬🇧, a movie 🇺🇸	un film
▶ an action film	un film d'action
▶ a thriller	un film à suspense
▶ a romance	une histoire d'amour
▶ a film director	un producteur
▶ an actor / an actress	un acteur / une actrice
▶ a part, a role	un rôle
▶ a stunt man	un cascadeur
▶ special effects	les effets spéciaux
▶ in the o'riginal (version)	en version originale
▶ 'subtitles	des sous-titres
▶ a trailer /ˈtreɪlə/	une bande-annonce
▶ a soundtrack /saʊnd/	une musique de film

VOCABULAIRE • LE QUOTIDIEN

Les loisirs

247

Listen! 🎧

"Tom! Shall we go to the cinema tonight?" "Oh yes! I'd love to see *X-Robots* in the original. I've seen the trailer, it looks great!" "Alright, but I hope there will be subtitles!"

« Tom, on va au cinéma ce soir ? – Oh oui ! J'adorerais voir *X-Robots* en v.o. J'ai vu la bande-annonce, ça a l'air super. – D'accord, mais j'espère qu'il y aura des sous-titres ! »

237 Listening to 'music (écouter de la musique)

a mu'sician un musicien
a com'poser un compositeur
a band un groupe
a singer un chanteur
a choir /kwaɪə/ une chorale
an orchestra /ˈɔːkɪstrə/ un orchestre
a con'ductor un chef d'orchestre

a **song** une chanson
the **lyrics** les paroles [d'une chanson]
a **tune** une mélodie
a **note** une note
a **score** une partition
a **'concert** un concert
a **concert hall** une salle de concert

to sing* chanter
to play an 'instrument jouer d'un instrument
the drums la batterie
the vio'lin le violon

⚠️ CAREFUL!

Il faut penser à utiliser *the* devant les noms d'instruments ▸ 80 .
I play **the** guitar. Je joue de la guitare.

Listen! 🎧

My sister plays the violin in an orchestra and my brother sings in a choir. I love listening to them.

Ma sœur joue du violon dans un orchestre et mon frère chante dans une chorale. J'adore les écouter.

Les notes de musique

▶ Dans les pays anglo-saxons, les notes ne se disent pas de la même façon qu'en France !

français	la	si	do	ré	mi	fa	sol
anglais	A	B	C	D	E	F	G

238 Going out (*sortir*)

▶ to go* to the cinema / the movies	aller au cinéma
▶ a showing	une séance
▶ to queue 🇬🇧, to stand in line 🇺🇸	faire la queue
▶ a cinemagoer	un cinéphile
▶ a theatre 🇬🇧 /ˈθɪətə/, a theater 🇺🇸	un théâtre [salle]
▶ a play	une pièce de théâtre
└ a 'playwright	un dramaturge
▶ the stage	la scène
└ stage directions	les indications scéniques
▶ the wings	les coulisses
▶ the 'scenery, the set	les décors
▶ a 'costume	un costume
▶ to put* on a play	monter une pièce
└ a rehearsal /rɪˈhɜːsəl/	une répétition
▶ to per'form	jouer, représenter
└ a performance	une représentation
▶ a show	un spectacle
▶ the 'audience	les spectateurs, le public
▶ to at'tend	assister à
▶ outings	les excursions
▶ a museum /mjuˈziːəm/	un musée
▶ an exhi'bition	une exposition
▶ a leisure park	un parc de loisirs
▶ the 'circus /ɜː/	le cirque

▶ Pour les jeunes Britanniques, la musique joue un rôle social plus important qu'en France. La musique folk a toujours existé, mais le pays a été à l'origine de nombreux genres (punk rock, heavy metal, trip hop...) et groupes (les Beatles, Oasis...) qui ont ensuite envahi la planète. L'industrie de la musique est l'une des plus importantes du pays, et il n'est pas rare que les jeunes gens forment des groupes.

Pour en savoir plus

@ Tu peux écouter sur YouTube quelques chansons anglaises cultes : *Wonderwall* du groupe Oasis (bit.ly/BAC-238a), *Viva la vida* de Coldplay (bit.ly/BAC-238b)...

2 Associe chaque élément à sa catégorie.

1. Beauty and the Beast •		• **a.** bands
2. The Beatles •		• **b.** heroes
3. Roald Dahl •		• **c.** concert halls
4. Shakespeare •		• **d.** writers
5. Superman •		• **e.** playwrights
6. Romeo and Juliet •		• **f.** fairy tales
7. Royal Albert Hall •		• **g.** plays

Corrigés p. 349

La ville

Like a bull in a china shop.
[Comme un taureau dans un magasin de porcelaine.]
Prov. : Comme un éléphant dans un magasin de porcelaine.

239 Towns and 'cities (*petites et grandes villes*)

▶ a 'capital (city) une capitale
▶ the town/city centre le centre-ville
▶ downtown /daʊnˈtaʊn/ en ville
▶ an inhabitant un habitant
▶ a 'district / a borough /ˈbʌrə/ un quartier / arrondissement
▶ the suburbs /ˈsʌbɜːbz/ la banlieue
▶ to com'mute faire la navette
▶ the housing /aʊ/ problem le problème du logement

There are lots of inhabitants in the cities. The housing problem
is so important that it is difficult to find a place to live in the
town centre. People often have to move to the suburbs.

Il y a beaucoup d'habitants dans les grandes villes. Le problème
du logement est si important qu'il est difficile de trouver un
endroit où vivre dans le centre. Les gens doivent souvent
déménager dans la banlieue.

Londres

▶ Londres est une ville multiculturelle, on y parle plus de 300 langues. La ville a un peu moins de 9 millions d'habitants (un million de moins que Paris), mais on y trouve de larges espaces non construits. Ses parcs sont célèbres (St James's Park, Hyde Park) ainsi que ses monuments (Tower Bridge, la cathédrale Saint-Paul, le London Eye...). Son quartier d'affaires, la City, regroupe les banques les plus connues. Elle est traversée par la Tamise et généralement associée à la couleur rouge (comme ses bus ou ses boîtes aux lettres).

Pour en savoir plus

@ Explore tout ce que l'on peut faire à Londres sur le site : visitlondon.com.

240 Walking in the streets (*marcher dans les rues*)

▶ a pe'destrian	un piéton
L a pe'destrian crossing, a 'zebra crossing	un passage pour piétons
▶ the passers-by	les passants
▶ the 'pavement 🇬🇧, the 'sidewalk 🇺🇸	le trottoir
▶ a 'phone box 🇬🇧/booth 🇺🇸	une cabine téléphonique
▶ busy /'bɪzi/	très fréquenté [lieu], affairé [personne]
▶ noisy	bruyant
▶ lively /'laɪvli/	animé
▶ a crowd /aʊ/	une foule
▶ to hurry	se dépêcher
▶ to rush	se précipiter
▶ to queue (up) 🇬🇧, to line (up) 🇺🇸	faire la queue

Trouver son chemin ▶ 246-249

Listen!

The streets of a city are usually busy, lively and noisy: a lot of pedestrians walk on the pavements, often hurrying to some place they are the only ones to know.

Les rues d'une ville sont généralement très fréquentées, animées et bruyantes : beaucoup de piétons marchent sur les trottoirs, se hâtant souvent vers un endroit qu'ils sont les seuls à connaître.

241 Driving in the city (*conduire en ville*)

▶ a driver /aɪ/	un chauffeur
▶ a car /ɑː/	une voiture
▶ a van	une camionnette
▶ a truck	un camion
▶ a taxi, a cab	un taxi
▶ a tram, a streetcar	un tramway
▶ a double-decker (bus)	un bus à deux étages
▶ the fare /eə/	le prix de la place
▶ the traffic	la circulation
└ a traffic jam	un embouteillage
▶ rush hours	les heures de pointe
▶ to sound the horn	klaxonner

(Trouver son chemin ▶ 246-249)

 Listen!

During rush hours, it is very difficult to drive in a city. When there is too much traffic, drivers sound the horn... but it doesn't help get out of a traffic jam!

Pendant les heures de pointe, il est très difficile de conduire dans une ville. Quand il y a trop de circulation, les conducteurs klaxonnent... Mais cela n'aide pas à sortir d'un embouteillage !

242 Using the tube (*prendre le métro*)

- the London underground 🇬🇧 le métro de Londres
  /ˈʌndəɡraʊnd/, the Tube /tjuːb/
- the 'Subway le métro de New York
- a tube 🇬🇧 / subway 🇺🇸 station une station de métro
- a line une ligne [de métro, de bus]
- a map un plan
- northbound / southbound en direction du nord/du sud
- a ticket machine un distributeur de tickets
- to get* on (a bus) monter (dans un bus)
  ≠ to get* off (a bus) descendre (d'un bus)
- over'crowded /aʊ/ bondé

The London underground is called the Tube. If you buy a travelcard, you will be able to get on and off at any bus stop or tube station on any line for the same price.

Le métro de Londres s'appelle le Tube. Si vous achetez une *travelcard* [carte de transport], vous pourrez monter et descendre à n'importe quel arrêt de bus ou station de métro sur n'importe quelle ligne pour le même prix.

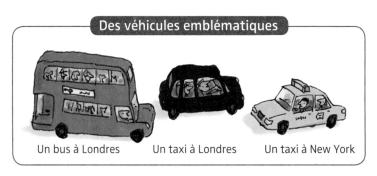

Des véhicules emblématiques

Un bus à Londres   Un taxi à Londres   Un taxi à New York

Training

1 Ces affirmations sont-elles justes (*right*) ou fausses (*wrong*) ?
Coche la bonne réponse.

	Right	Wrong
1. A city is a small town.	❏	❏
2. Pedestrians can cross the street on a zebra crossing.	❏	❏
3. In a crowd, there are a lot of people.	❏	❏
4. You can eat a traffic jam on your toast.	❏	❏
5. A double-decker bus is a car.	❏	❏
6. A truck is smaller than a van.	❏	❏
7. In New York, you can take the Subway.	❏	❏
8. You can get on and off the tube at a tube station.	❏	❏

Corrigés p. 349

243 Services (*les services*)

▶ the town hall /ɔː/	la mairie
▶ the mayor /meə/	le/la maire
▶ the tourist (information) office	l'office du tourisme
▶ a police 'station	un commissariat de police
▶ a fire /faɪə/ station	une caserne de sapeurs-pompiers
▶ a post office	un bureau de poste
▶ a 'library /aɪ/	une bibliothèque
▶ a bank	une banque
▶ a cash dispenser ⚡, an ATM ▬	un distributeur automatique
▶ open ≠ closed	ouvert ≠ fermé

Listen!

If you go to the town hall or the tourist information office, you will find all sorts of services or information about the city you are in.

Si vous allez à la mairie ou à l'office du tourisme, vous trouverez toutes sortes de services et de renseignements à propos de la ville dans laquelle vous êtes.

244 Shops (*les magasins*)

- the baker's /eɪ/ — la boulangerie
- the butcher's /ʊ/ — la boucherie
- a shop , a store — un magasin
  - ∟ a 'bookshop — une librairie
  - ∟ a shoe shop — un magasin de chaussures
  - ∟ a clothes /kləʊðz/ shop — un magasin de vêtements
  - ∟ a sports shop — un magasin de sport
  - ∟ a toy shop — un magasin de jouets
- a de'partment store — un grand magasin
  - ∟ a de'partment — un rayon
- a 'supermarket — un supermarché
- a 'shopping centre , a shopping mall — un centre commercial

(Le monde du travail ▶ 250-255)

 Listen!

In the town centre, there are lots of shops to buy everything you need: bread at the baker's, meat at the butcher's, or a nice shirt at the clothes shop.

Dans le centre-ville, il y a beaucoup de magasins où acheter tout ce dont on a besoin : du pain à la boulangerie, de la viande à la boucherie ou une jolie chemise au magasin de vêtements.

⚠ CAREFUL!

On emploie 's après les noms de métiers (▶ 117) pour désigner le magasin correspondant : *baker's* par exemple signifie « le magasin du boulanger », « la boulangerie ».

245 Going shopping (*aller faire des courses*)

- a 'customer — un client
- to cost* — coûter
- the price /aɪ/ — le prix
- How much is it? — C'est combien ?
- the sales /seɪlz/ — les soldes

▶ to buy* acheter
▶ to pay* payer
▶ the cash desk la caisse
 └ the cashier /kæʃɪə/ le caissier
▶ the receipt /rɪˈsiːt/ le ticket de caisse
▶ a cheque 🇬🇧, a check 🇺🇸 un chèque
▶ a credit card une carte de crédit
▶ the change /tʃeɪndʒ/ la monnaie
▶ to spend* money dépenser de l'argent
▶ to sell* vendre

Listen! 🎧

"How much is this DVD, please? I can't see the price."
"It's £15.20 (fifteen pounds twenty)."
"OK, then, I'll buy it. I'll pay cash. Here you are."
"Thank you. Here's your change… and your receipt."

« Combien coûte ce DVD, s'il vous plaît ? Je ne vois pas le prix.
– Il coûte 15 livres 20.
– D'accord, alors, je l'achète. Je vais payer en liquide. Tenez.
– Merci. Voici votre monnaie… et votre ticket de caisse. »

Training

2 Quel mot correspond à chacune de ces définitions ?

1. A place where you can buy books: …………………………

2. A place where you can read and borrow books for a short period:

…………………………

3. The opposite of "closed": …………………………

4. The place where the mayor works: …………………………

5. A very big place where the Americans go shopping: …………………

6. A shop where you can buy bread and croissants: ……………………

7. A person who buys something in a shop: …………………………

8. The place in a shop where you pay for the things you've bought:

…………………………

(Corrigés p. 349)

Trouver son chemin

« Retour à la case départ ! » [*square one*: la case départ]

246 Lo'cating (*situer*)

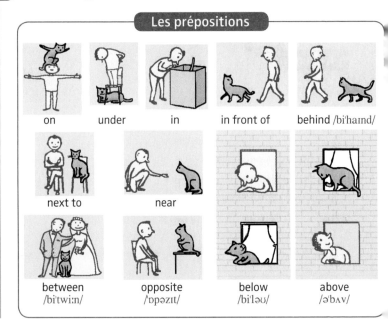

▶ a place /eɪ/	un endroit, un lieu
▶ the lo'cation	l'emplacement
▶ well situated /sɪtjueɪtɪd/	bien situé
▶ here /hɪə/	ici
▶ there /ðeə/	là, là-bas
▶ over there	là-bas, de l'autre côté
▶ inside /aɪ/	à l'intérieur
▶ out'side /aɪ/	à l'extérieur
▶ at the end (of)	au bout (de), à l'extrémité (de)
▶ at/on the corner	à l'angle, au coin
▶ around /ə'raʊnd/ here	par ici
▶ around / round the corner	tout près
▶ nearby	aux alentours

My house is very well situated. It is located in a nice place, opposite my best friend's house, and behind my grandparents'. And my school is just around the corner.

Ma maison est très bien située. Elle se trouve dans un endroit agréable, en face de chez mon meilleur ami, et derrière chez mes grands-parents. Et mon collège est tout près.

247 Going somewhere (aller quelque part)

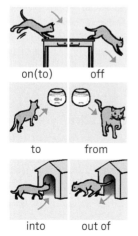

on(to) off
to from
into out of

to/in
the north

to/in
the east /iːst/

to/in
the west

to/in
the south /saʊθ/

this way	dans cette direction, par là
in the right /aɪ/ direction	dans la bonne direction
≠ in the wrong /rɒŋ/ direction	≠ dans la mauvaise direction
straight /streɪt/ on, straight ahead	tout droit
to/on the right ≠ to/on the left	à droite ≠ à gauche
to turn	tourner
to go* up/down a street	monter / descendre une rue
to go* past	passer devant
to go* across, to cross	traverser
across	de l'autre côté, à travers
'forward ≠ 'backward	en avant ≠ en arrière

To come to my house, turn left out of the station. Go straight on, and turn right at the next corner. Go up the street, then across the square and you're there.

Pour venir chez moi, tourne à gauche en sortant de la gare.
Va tout droit et ensuite tourne à droite au carrefour suivant.
Remonte la rue puis traverse la place et tu y es.

La conduite à gauche

Au Royaume-Uni et dans beaucoup de ses anciennes colonies, on roule à gauche et le volant est à droite. Cette habitude date de l'Antiquité où l'on se croisait en portant son épée à gauche pour pouvoir la dégainer facilement de la main droite. Au Moyen Âge, les chevaliers se tenaient à gauche du chemin pour que leurs épées ne se touchent pas, ce qui aurait été interprété comme une provocation.

Les Britanniques ont conservé cette tradition mais les Français l'ont changée sous Napoléon : il entraîna ses troupes à attaquer par la droite pour surprendre l'ennemi.

CAREFUL!

Right peut signifier « droite » ; il est alors le contraire de *left*. Il peut aussi signifier « bien », « bon », « exact » comme dans *the right direction*. Il est alors le contraire de *wrong*.

248 Asking your way (*demander ton chemin*)

▶ Can you tell* me the way to…?   Pouvez-vous m'indiquer le chemin pour aller à… ?

▶ How can I get*/go* to…?   Comment est-ce que je peux aller à… ?

▶ to get* lost   se perdre
▶ to be* lost   être perdu
▶ a map   un plan, une carte
▶ far (from)   loin (de)
  ≠ close /kləʊs/ (to)   ≠ près (de)

▶ to go*   aller
▶ to drive* /aɪ/   aller en voiture
▶ to walk   aller à pied
▶ on foot   à pied
▶ to take* the bus   prendre le bus
▶ to take* the underground   prendre le métro

"Excuse me, sir, I'm lost. Can you tell me the way to the stadium, please? Do you know where it is?" "Sure. You're not very far. But the easiest way is to take the underground."

« Pardon monsieur, je suis perdu. Pouvez-vous m'indiquer le chemin pour aller au stade, s'il vous plaît ? Savez-vous où il se trouve ? – Bien sûr. Vous n'êtes pas très loin. Mais le plus facile est de prendre le métro. »

249 Landmarks (*les points de repère*)

▶ a street	une rue
└ a one-way street	une rue à sens unique
▶ the traffic lights	les feux tricolores
▶ a 'building /ɪ/	un bâtiment
▶ a shop	un magasin
▶ a car park	un parking
▶ a bus stop	un arrêt de bus
▶ the 'station	la gare
▶ a road /əʊ/	une route
└ a road sign	un panneau de signalisation
▶ a roundabout /raʊndəbaʊt/	un rond-point
▶ a 'junction, a 'crossroads	un carrefour
▶ an exit	une sortie
▶ a 'U-turn	un demi-tour

(La ville ▶ 239-245)

To get to the station, drive up this street. At the roundabout take the first street on your left, and drive down the road to the traffic lights. Then, follow the road signs.

Pour aller à la gare, remontez cette rue. Au rond-point, prenez la première à gauche et descendez la route jusqu'aux feux. Puis suivez les panneaux de signalisation.

⚠ CAREFUL!

Le système métrique n'a été adopté officiellement en Grande-Bretagne qu'en mai 1965 et le système de mesure britannique est encore présent dans bien des aspects de la vie courante.

an inch (in) un pouce (2 cm 54)
a foot (ft) un pied = 12 inches (30 cm 48)
a yard (yd) 3 feet (97 cm 44)
a mile (m/mi) 1 km 609

 Training

1 Associe chaque image à sa légende.

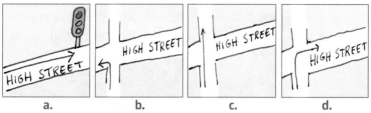

a. b. c. d.

1. Turn left at the next corner. ....

2. Turn right into High Street. ....

3. Drive up High Street to the traffic lights. ....

4. Go straight on across High Street. ....

2 Tu dois rejoindre tes amis au cinéma mais ne sais pas comment y aller. Complète ce dialogue en t'aidant du plan ci-dessous :

"Excuse me, sir. Can you tell me the .... the cinema, please ?"

"Sure! Walk up this .... At the roundabout, walk .... on, past the shoe shop. .... Old Street and turn .... at the traffic .... The cinema is .... to the library, ... the stadium." "Is it .... from here?" "No, only a few hundred yards" "Thank you very much."

Corrigés p. 349

263

Le monde du travail

« J'adore mon travail ! »

250 Looking for work (*chercher du travail*)

▶ training	la formation
▶ employment	l'emploi
└ unem'ployment	le chômage
└ unemployed	au chômage
▶ to look for a job	chercher un emploi
▶ to apply /aɪ/ for a job	postuler à un emploi
▶ a job seeker	un demandeur d'emploi
▶ a job ad'vertisement	une annonce d'emploi
▶ a job interview	un entretien d'embauche
▶ to hire /haɪə/ sb	embaucher qqn
▶ to work full-time	travailler à plein temps
▶ to work part-time	travailler à temps partiel
▶ the 'minimum wage /eɪ/	le salaire minimum
▶ a 'salary	un salaire
▶ to earn /ɜː/ a living	gagner sa vie
▶ to dis'miss sb	licencier qqn
▶ to fire /faɪə/	renvoyer
▶ to retire /rɪ'taɪə/	prendre sa retraite

Listen!

In the future, I want to work with animals. I'd like to be hired in a zoo or I could apply for a job in a pet shop maybe?

Plus tard, je veux travailler au contact des animaux. J'aimerais être employé par un zoo, ou bien je pourrais chercher du travail dans une animalerie peut-être ?

 CAREFUL!

> Il ne faut pas confondre *to win* (« gagner », à un jeu par exemple) et *to earn* (« gagner de l'argent », en contrepartie d'un travail). D'ailleurs, *to earn* peut aussi vouloir dire « mériter ».

251 Firms (*les entreprises*)

▶ a 'company	une société
▶ a 'factory	une usine
▶ an 'office	un bureau
▶ the boss	le patron
▶ the staff	le personnel
▶ to go* on strike	faire grève
▶ employee	employé
▶ worker	ouvrier
▶ tech'nician	technicien
▶ e'xecutive	cadre
▶ 'manager	directeur [de société]
▶ businessman/-woman /ˈbɪznɪs-/	homme/femme d'affaires
▶ ac'countant	comptable
▶ secretary /ˈsekrətri/	secrétaire
▶ com'puter 'programmer	informaticien
▶ engi'neer	ingénieur
▶ ap'prentice	apprenti
▶ trai'nee	stagiaire

 CAREFUL!

> Quand on emploie un nom de métier, on utilise *a/an* devant ▶83.
>
> I'd love to become a bricklayer, a plumber or a mechanic.
> J'adorerais devenir maçon, plombier ou mécanicien.

In a firm, a company or a factory, when the employees or the workers don't agree with the boss about their working conditions or their salary, they can go on strike.

Dans une entreprise, une société ou une usine, quand les employés ou les ouvriers ne sont pas d'accord avec le patron à propos de leurs conditions de travail ou de leur salaire, ils peuvent faire grève.

252 Shops (les commerces)

▶ shop assistant, salesman(-woman)	vendeur
▶ grocer	épicier
▶ baker /eɪ/	boulanger
▶ butcher /ˈbʊtʃə/	boucher
▶ 'fishmonger	poissonnier
▶ cobbler	cordonnier
▶ 'bookseller	libraire
▶ 'newsagent	marchand de journaux
▶ beau'tician	esthéticien
▶ 'hairdresser	coiffeur
▶ barber	coiffeur pour hommes
▶ florist	fleuriste
▶ jeweller /ˈdʒuːələ/	bijoutier

253 Services (les services)

▶ 'fireman /aɪə/	pompier
▶ 'postman	facteur
▶ caretaker	concierge
▶ bus/train driver	conducteur de bus/de train
▶ clerk /ɑː/	réceptionniste
▶ librarian	bibliothécaire
▶ police officer, po'liceman(-woman)	policier
▶ 'sailor	marin

(La santé ▶ 223-229 • La ville ▶ 239-245)

Listen!

He would like to become a fireman, a policeman or a sailor. But that's just because he likes uniforms!

Il voudrait devenir pompier, policier ou marin. Mais c'est juste parce qu'il aime les uniformes !

⚠ CAREFUL!

Les noms de métiers se terminant par -*man* se mettent au féminin en remplaçant *man* par *woman* : *a policewoman*.
Au pluriel, on dit *policemen* et *policewomen* ▶77.

VOCABULAIRE • LE QUOTIDIEN

The best job in the world

▶ En 2009, l'office de tourisme du Queensland en Australie propose une offre d'emploi pour ce qu'il appelle « le meilleur métier du monde » : gardien (*caretaker*) des îles de la Grande Barrière de corail. Ce travail d'une durée de 6 mois consiste à nourrir les poissons, explorer les îles et alimenter un blog avec des photos et vidéos… le tout pour un salaire de 150 000 dollars australiens et un logement dans une belle villa avec piscine. Le succès est phénoménal avec près de 35 000 candidatures venues de plus de 200 pays.

Pour en savoir plus

@ Les meilleures candidatures en vidéo sur le blog du Queensland : bit.ly/BAC-253

Training

1 Quel est leur métier ? Trouve le mot pour chaque image.

1 2 3 4 5 6

1. .... 2. .... 3. ....

4. .... 5. .... 6. ....

Corrigés p. 349

254 Some other jobs (*d'autres métiers*)

▶ farmer	agriculteur
▶ fisherman	pêcheur
▶ architect /ɑːkɪtekt/	architecte
▶ judge /dʒʌdʒ/	juge
▶ lawyer /lɔɪə/	avocat
▶ me'chanic	mécanicien
▶ plumber /plʌmə/	plombier
▶ 'carpenter	menuisier
▶ 'bricklayer	maçon
▶ cleaner	agent d'entretien
▶ gardener	jardinier

À table ▶ 215-222

 Listen!

My parents want me to be an architect, but I think building or repairing things is much more fun! I'd love to become a bricklayer, a plumber or a mechanic.

Mes parents veulent que je sois architecte, mais je pense que construire ou réparer est bien plus amusant ! J'adorerais devenir maçon, plombier ou mécanicien.

255 Odd jobs (*les petit boulots*)

- pocket money   de l'argent de poche
- to do* (some) babysitting,   faire du baby-sitting
  to babysit*
- to do* (some) cat/dog sitting   s'occuper de chats/de chiens
- to walk a dog   promener un chien
- to wash cars   laver des voitures
- to do* some gardening   faire du jardinage
- to mow* the lawn   tondre la pelouse
- paperboy, papergirl   livreur/livreuse de journaux
- to de'liver   livrer

To earn some pocket money, you can do some babysitting or cat sitting at the weekend. I do some gardening and mow the lawn for my neighbour, who is an elderly lady.

Pour gagner de l'argent de poche, on peut faire du baby-sitting ou s'occuper d'un chat le week-end. Moi, je fais du jardinage et je tonds la pelouse pour ma voisine, qui est une dame âgée.

2 Associe chaque métier à sa définition.

1. A fisherman •
2. A mechanic •
3. A bricklayer •
4. An architect •
5. A lawyer •
6. A paperboy •

• **a.** repairs car engines.
• **b.** delivers newspapers to people's houses.
• **c.** imagines and designs houses and buildings.
• **d.** builds houses, usually with bricks.
• **e.** catches fish in the sea.
• **f.** knows the law and defends people's rights in court.

Corrigés p. 349

Les animaux

« Qui m'aime aime mon chien. »

256 Pets (*les animaux domestiques*)

▶ a dog	un chien
▶ a puppy	un chiot
▶ a cat	un chat
▶ a kitten	un chaton
▶ a 'goldfish	un poisson rouge
▶ a guinea pig	un cochon d'Inde
▶ a mouse /maʊs/	une souris
(pl. mice /maɪs/)	
▶ a pet shop	une animalerie
▶ a 'vet(erinary)	un vétérinaire

Beware of the dog!
Attention au chien !

A lot of people have got dogs, cats or guinea pigs. When they go to a pet shop, children want to buy puppies or kittens... but when you've got a pet, you must look after it.

Beaucoup de gens ont des chiens, des chats ou des cochons d'Inde. Quand ils vont dans une animalerie, les enfants veulent acheter des chiots ou des chatons... mais quand on a un animal domestique, il faut s'en occuper.

257 Farm animals (*les animaux de la ferme*)

1. a cow /kaʊ/ — une vache
2. a duck /ʌ/ — un canard
3. a lamb /læm/ — un agneau
4. a sheep /iː/ [inv.] — un mouton
5. a hen — une poule
6. a chick — un poussin
7. a cock, a rooster 🇺🇸 — un coq
8. a horse /hɔːs/ — un cheval
9. a goat — une chèvre
10. a donkey /dɒŋki/ — un âne
11. a pig — un cochon
12. a rabbit — un lapin

258 In the garden (*dans le jardin*)

an insect, a bug un insecte
a spider /aɪ/ une araignée
a fly (pl. flies) une mouche
a mos'quito un moustique
a bee une abeille
a wasp /wɒsp/ une guêpe
a 'ladybird une coccinelle
a 'caterpillar une chenille
a 'butterfly un papillon
an ant une fourmi

a bird /ɜː/ un oiseau
a dove une colombe

a snail un escargot
a slug /ʌ/ une limace
a worm un ver
a tortoise /tɔːtəs/ une tortue
a 'hedgehog un hérisson
a mole une taupe

Hedgehogs are very useful in a garden because they eat a lot of pests: insects, snails, worms...

Les hérissons sont très utiles dans un jardin parce qu'ils mangent beaucoup d'animaux nuisibles : des insectes, des escargots, des vers...

WASP

▶ A WASP n'est pas seulement une guêpe aux États-Unis ! Il s'agit aussi des initiales de *White Anglo-Saxon Protestant*. Ce terme, devenu péjoratif, désigne les Américains blancs dont les ancêtres sont originaires d'Europe.

1 Raye l'intrus dans chacune de ces listes.

1. a vet • a pet • a dog • a cat • a goldfish

2. a dog • a cat • a kitten • a cow • a hamster • a guinea pig

3. a fly • a mosquito • a ladybird • a caterpillar • a bee • a butterfly

4. a pig • a cow • a sheep • a chicken • a tortoise • a rabbit

5. a slug • a worm • a snail • an ant • a caterpillar • a bird

Corrigés p. 349

259 In/near the water (*dans l'eau, au bord de l'eau*)

▶ a shark	un requin
▶ a whale /eɪ/	une baleine
▶ a 'dolphin	un dauphin
▶ a seal	un phoque
▶ a 'penguin	un pingouin
▶ a shellfish [inv.]	un coquillage
▶ a jelly fish [inv.]	une méduse
▶ an octopus	une pieuvre

▶ a frog	une grenouille
▶ a toad /əʊ/	un crapaud
▶ a dragonfly	une libellule
▶ a swan /ɒ/	un cygne
▶ a (sea)gull /gʌl/	une mouette, un goéland

L'environnement ▶ 262-267

Last summer, I spent my holidays by the seaside. I could see dolphins and seals for the first time. It was so cold that there were even penguins!

L'été dernier, j'ai passé mes vacances au bord de la mer. J'ai vu des dauphins et des phoques pour la première fois. Il faisait tellement froid qu'il y avait même des pingouins !

260 In the woods (*dans les bois*)

▶ a wolf /wʊlf/ (pl. wolves)	un loup
▶ a fox (pl. foxes)	un renard
▶ a bear /beə/	un ours
▶ a deer [inv.]	une biche, un cerf
▶ a hare	un lièvre
▶ a squirrel /ˈskwɪrəl/	un écureuil
▶ a bird of prey	un rapace
▶ an eagle	un aigle
▶ a vulture /ˈvʌltʃə/	un vautour
▶ a boar	un sanglier

Last weekend, we visited a park where we saw deer and squirrels. A guide told us that wolves and bears used to live there, but of course, they don't any more.

Le week-end dernier, on a visité un parc où on a vu des cerfs et des écureuils. Un guide nous a dit qu'autrefois, des loups et des ours habitaient là, mais bien sûr ce n'est plus le cas.

⚠ CAREFUL!

Certains noms d'animaux, comme *sheep*, *fish* (le plus souvent) ou *deer*, et leurs composés sont invariables ▶ 77 . On dit donc :

I've got ten sheep, twelve exotic fish and six goldfish.
J'ai dix moutons, douze poissons exotiques et six poissons rouges.

261 Wildlife *(les animaux sauvages)*

1. a monkey   un singe
2. an elephant   un éléphant
3. an 'ostrich   une autruche
4. a rhi'noceros /aɪ/   un rhinocéros
5. a 'poisonous snake   un serpent venimeux
6. a zebra /iː/ ou /e/   un zèbre
7. a gi'raffe   une girafe
8. a lion /aɪ/   un lion
9. a parrot   un perroquet
10. a hippo('potamus)   un hippopotame

Apprends la liste ci-dessus, puis cache-la et essaie de nommer les animaux dessinés.

Many different animals live in Africa. Lions, zebras, elephants or giraffes live in the savannah whereas camels live in the desert.

Beaucoup d'animaux différents vivent en Afrique. Les lions, les zèbres, les éléphants ou les girafes vivent dans la savane alors que les chameaux vivent dans le désert.

L'environnement ▶ 262-267

VOCABULAIRE • LA NATURE

Animaux d'Australie

▶ En Australie, il y a plus de kangourous que d'habitants ! On estime le nombre de kangourous à plus de 50 millions alors que la population était d'un peu plus de 23 millions en 2014. C'est pourquoi il est courant de trouver ce genre de panneaux sur les routes australiennes.

1. kangaroo   2. koala   3. sugar glider   4. kookaburra
5. wombat   6. duck-billed platypus   7. emu   8. dingo

2 Trouve à quel nom correspond chacune des descriptions suivantes.

1. It is small and green, and it likes living by the waterside.
The English call the French by its name because some French people eat its legs! ....

2. It is a very large animal living in the ocean. It is a mammal, not a fish. ....

3. It looks like a rabbit but is faster and lives in the woods.
....

4. It's a bird of prey with a very good eyesight. It eats other birds and small animals. ....

5. It looks like a horse and it is black and white. It lives in the savannah. ....

6. It lives in Africa. It is a very tall animal with very long legs and a very long neck. ....

Corrigés p. 349

L'environnement

[Il pleut des chats et des chiens.] Il pleut des cordes.

262 At the 'seaside (au bord de la mer)

▶ the sea	la mer
▶ a wave	une vague
▶ the tide /taɪd/	la marée
▶ a 'lighthouse	un phare
▶ land	la terre
▶ an island /ˈaɪlənd/	une île
▶ the coast /kəʊst/	la côte
▶ the shore	le rivage
▶ a cliff	une falaise
▶ a beach /iː/	une plage
▶ sand	du sable

When we spent our holidays in Brittany, we took the boat to get to an island. It was impressive to see the coast from there.

Quand on a passé nos vacances en Bretagne, on a pris le bateau pour aller sur une île. C'était impressionnant de voir la côte de là.

263 In the countryside (*à la campagne*)

▶ the country /ˈkʌntri/	la campagne
▶ the landscape	le paysage
▶ a village	un village
▶ a field /iː/	un champ
▶ the crops	les cultures
▶ a hill	une colline
▶ a hedge	une haie
▶ a bush /ʊ/	un buisson
▶ grass	de l'herbe
▶ a flower	une fleur
▶ a 'forest	une forêt
▶ a wood	un bois
▶ a tree	un arbre
▶ a branch	une branche
▶ a leaf (**pl.** leaves)	une feuille
▶ an oak	un chêne
▶ a chestnut tree	un châtaignier
▶ a 'river /ɪ/	une rivière
▶ a lake	un lac
▶ a moor	une lande
▶ heather /e/	la bruyère

264 In the mountains (*à la montagne*)

▶ a mountain /ˈmaʊntɪn/	une montagne
└ a mountain range /eɪ/	une chaîne de montagnes
▶ a plateau	un plateau
▶ a valley /ˈvæli/	une vallée
▶ a stream /iː/	un ruisseau
▶ a 'waterfall	une cascade
▶ a cave /eɪ/	une grotte
▶ a stone	une pierre
▶ rock	de la roche

A lot of National Parks in the USA offer breathtaking landscapes. In Death Valley National Park, CA, you will be in a stony desert, whereas in Yosemite, you will hike in the mountains, you will cross streams and waterfalls.

Beaucoup de parcs nationaux aux États-Unis offrent des paysages à couper le souffle. Dans le parc national de la Vallée de la Mort, en Californie, vous serez dans un désert de pierre, alors qu'à Yosemite, vous randonnerez dans les montagnes, vous traverserez des ruisseaux et des cascades !

Training

1 Choisis la bonne traduction.

1. un ruisseau :	❑ **a.** a stream	❑ **b.** a waterfall
2. un champ :	❑ **a.** an oak	❑ **b.** a field
3. un buisson :	❑ **a.** a wood	❑ **b.** a bush
4. une haie :	❑ **a.** a cliff	❑ **b.** a hedge
5. une chaîne de montagnes :	❑ **a.** a chain	❑ **b.** a range
6. le rivage :	❑ **a.** the beach	❑ **b.** the shore
7. une grotte :	❑ **a.** a cave	❑ **b.** a stone
8. un bois :	❑ **a.** a moor	❑ **b.** a wood

Corrigés p. 349

265 In the wild (*dans la nature*)

▶ 'daylight — le jour, la lumière du jour
▶ 'sunrise — l'aube
▶ 'sunset — le coucher de soleil
▶ twilight /twaɪlaɪt/ — le crépuscule
▶ a sound /aʊ/ — un son
▶ 'silence /saɪ/ — le silence
▶ quiet /kwaɪət/ — calme, tranquille

266 The climate /ˈklaɪmət/ (le climat)

- ▶ climatic /klaɪˈmætɪk/   climatique
- ▶ dry ≠ wet   sec ≠ humide
- ▶ 'temperate   tempéré
- ▶ extreme /ɪkˈstriːm/   extrême
- ▶ the heat /iː/   la chaleur

Seasons /ˈsiːznz/
(les saisons)

spring   summer

autumn 🇬🇧
fall 🇺🇸   winter

'Temperature
(la température)

hot (très) chaud
warm bon, chaud
mild /aɪ/ doux
cool, chilly frais
cold froid

Listen! 🎧

In a temperate climate, there are four seasons: spring, summer, which can be dry, autumn, which is usually wet, and winter.

Dans un climat tempéré, il y a quatre saisons : le printemps, l'été, qui peut être sec, l'automne, qui est généralement humide, et l'hiver.

267 The weather forecast (les prévisions météo)

- ▶ sunny   ensoleillé
- ▶ to shine*   briller
- └ 'sunshine   du soleil
- ▶ a cloud /aʊ/   un nuage
- ▶ the rain   la pluie
- ▶ to fall*   tomber

◗ a shower /ʃaʊə/ — une averse
◗ the wind /ɪ/ — le vent
◗ to blow* — souffler
◗ the fog — le brouillard
◗ a storm — un orage
◗ a 'rainbow /bəʊ/ — un arc-en-ciel
◗ the snow — la neige
◗ to freeze* — geler
◗ ice — la glace
◗ 'temperature — la température
◗ a de'gree — un degré

(L'écologie ▸ 268-272)

 Listen!

And now the weather forecast for Europe! It will be sunny in the British isles, but cold: only 4°C in Dublin. A lot of sunshine in France too, but with the same temperatures. Stockholm and Oslo will be under the snow today.

Et maintenant les prévisions météorologiques pour l'Europe ! Il va faire beau sur les îles Britanniques, mais froid : seulement 4°C à Dublin. Beaucoup de soleil en France aussi, mais avec les mêmes températures. Stockholm et Oslo seront sous la neige aujourd'hui.

 CAREFUL!

Pour indiquer la température, aux États-Unis, on utilise les degrés Fahrenheit (F) au lieu des degrés Celsius (C).
Température en °C = température en °F - 32, résultat que l'on multiplie par 5 puis divise par 9. Par exemple, 70°F = 21°C.

▌ L'Écosse est un des quatre membres du Royaume-Uni. Située au Nord de l'Angleterre, elle comporte deux villes principales : Édimbourg (*Edinburgh*, la capitale) et Glasgow, situées toutes deux au Sud, dans les Lowlands ou Basses-Terres, où la terre peut être cultivée.

▌ Au Nord s'étendent les sauvages *Highlands*, avec des montagnes dont le point culminant des îles Britanniques, le Ben Nevis (1344m d'altitude !).

Training

2 **Donne le contraire de chacun des mots suivants.**

1. wet ≠ ....

2. day ≠ ....

3. sunrise ≠ ....

4. hot ≠ ....

5. summer ≠ ....

6. autumn ≠ ....

7. sounds ≠ ....

8. temperate (climate) ≠ ....

Corrigés p. 349

L'écologie

He who sows the wind shall reap the whirlwind.
Prov. : Qui sème le vent récolte la tempête. [littéralement, la tornade]

268 Natural di'sasters (les catastrophes naturelles)

- a catastrophe /kəˈtæstrəfi/ — une catastrophe
- bad weather /ˈweðə/ — les intempéries
- the Earth — la Terre
- an earthquake /ˈɜːθkweɪk/ — un tremblement de terre
- an e'ruption — une éruption volcanique
- a volcano /vɒlˈkeɪnəʊ/ — un volcan
- a drought /draʊt/ — une sécheresse
- a heat wave — une canicule
- flooding /ʌ/, a flood — une inondation
- a hurricane /ˈhʌrɪkən/ — un ouragan
- a tornado — une tornade
- to sweep* — balayer

Listen!

Many natural disasters can occur because of climate change: heat waves, flooding, drought, whirlwinds or hurricanes... It's a catastrophe!

De nombreuses catastrophes naturelles peuvent se produire à cause du changement climatique : canicules, inondations, sécheresse, tornades ou ouragans... C'est une catastrophe !

269 'Global 'warming (*le réchauffement de la planète*)

- the greenhouse ef'fect — l'effet de serre
- greenhouse gases /'gæsɪz/ — les gaz à effet de serre
- the ozone layer /'leɪə/ — la couche d'ozone
- climate change — le changement climatique
- to melt* — fondre
- the ice meltdown — la fonte des glaces
- the sea level — le niveau des mers

- defores'tation — la déforestation
- to chop down, to fell — abattre
- timber — du bois de construction
- destruction — la destruction
- to destroy — détruire
- harmful — nocif

With global warming due to the greenhouse effect, the ice melts, which makes the sea level rise.

Avec le réchauffement de la planète dû à l'effet de serre, la glace fond, ce qui fait monter le niveau des mers.

270 Pollution (*la pollution*)

- power /paʊə/ — l'énergie
- fuel /fjuːl/ — le carburant
- to pol'lute — polluer
- smoke — la fumée
- to e'mit — émettre
- carbon dioxide /daɪˈɒksaɪd/ — le dioxyde de carbone
- an oil spill — une marée noire
- a dump — une décharge
- the waste /weɪst/ — les déchets
  - ∟ nuclear waste — les déchets nucléaires
- noise — le bruit

The atmosphere can be polluted by smoke or toxic fumes. Emissions of carbon dioxide also pollute the air. Dumps and nuclear waste are harmful to the environment.

L'atmosphère peut être polluée par la fumée ou les émanations toxiques. Les émissions de dioxyde de carbone polluent aussi l'air. Les décharges et les déchets nucléaires sont nocifs pour l'environnement.

Les conséquences du réchauffement climatique

▌ Le réchauffement climatique va avoir des conséquences dans de nombreux domaines dans le siècle qui vient de débuter : outre les ouragans dévastateurs, tels Irma ou Maria en 2017, dont le nombre devrait selon les scientifiques aller croissant, la montée du niveau des mers a déjà provoqué la disparition de cinq des îles Salomon (qui font partie du Commonwealth) au large de l'Australie et des côtes indonésiennes.

▌ Depuis 2016, la Grande Barrière de corail (le corail est un animal aquatique qui vit en groupes) autour de l'Australie a blanchi, signe de maladie due au réchauffement de l'eau.

1 Que représentent ces images ?

1................ 2................ 3................ 4................

Corrigés p. 349

En'dangered species (*les espèces menacées*)

- nature /ˈneɪtʃə/ — la nature
- biodiversity /baɪədaɪˈvɜsɪti/ — la biodiversité
- wildlife /ˈwaɪldlaɪf/ — les animaux sauvages
- a species /ˈspiːʃiːz/ — une espèce
- the 'habitat — l'habitat
- to disap'pear — disparaître
- to affect — toucher, affecter
- to threaten — menacer
  - └ a threat /θret/ — une menace
- ex'tinct — éteint
- poaching /ˈpəʊtʃɪŋ/ — le braconnage
  - └ a poacher — un braconnier
- fur — la fourrure
- ivory /ˈaɪvəri/ — l'ivoire

Some species are endangered by poachers and the loss of their habitat. The threat is real and some have already disappeared. We have to preserve biodiversity for the future generations.

Certaines espèces sont menacées par les braconniers et la perte de leur habitat. La menace est réelle et certaines ont déjà disparu. Nous devons préserver la biodiversité pour les générations futures.

272 Sus'tainable de'velopment (*développement durable*)

- the en'vironment /ɪnˈvaɪrənmənt/ — l'environnement
  - └ an environ'mentalist — un écologiste
- eco-friendly — qui respecte l'environnement
- nature conser'vation — la défense de l'environnement
- the 'balance — l'équilibre
- to pro'tect — protéger
- recycling /riːˈsaɪklɪŋ/ — le recyclage
- waste sepa'ration — le tri des déchets
- waste treatment — le retraitement des déchets

▶ energy conservation/savings   les économies d'énergie
▶ re'newable 'energy   l'énergie renouvelable
▶ solar panels   les panneaux solaires
▶ a wind turbine   une éolienne
▶ biofuel   les biocarburants
▶ 'hybrid cars   les voitures hybrides

(Les problèmes mondiaux ▶ 279-283)

Training

2 **Quel mot correspond à chacune de ces définitions ?**

1. How do you call the fact that the climate changes and temperatures rise? ....

2. What is the result of a boat transporting oil and having an accident? ....

3. In the atmosphere, what protects us from the sun's rays?
....

4. Where is the waste stored when there has been no waste separation? ....

5. What do you call a person who works to protect the environment?
....

6. It is as tall as a tower and uses the power of the wind to produce electricity. What is it? ....

(Corrigés p. 349)

Les voyages

« Je voyage léger. »

273 Going on holiday (*partir en vacances*)

▸ a trip, a journey /ˈdʒɜːni/	un voyage
▸ to go* on a trip	partir en voyage
▸ to stay	séjourner
└ a stay	un séjour
▸ a seaside resort	une station balnéaire
▸ a ski resort	une station de ski
▸ to spend* holidays 🇬🇧 / vacation 🇺🇸	passer des vacances
▸ to be* on holiday	être en vacances
▸ a 'holidaymaker 🇬🇧, a va'cationer 🇺🇸	un vacancier
▸ luggage /ˈlʌɡɪdʒ/ [indén.]	les bagages
▸ to pack	faire ses bagages
▸ a sight /saɪt/	un endroit à visiter
└ sightseeing	le tourisme, les visites
▸ a 'memory	un souvenir
▸ a souvenir /suːvəˈnɪə/	un souvenir [objet]

'Welcome to... Bienvenue à...
Enjoy your stay! Passez un bon séjour !

274 Accommodation (l'hébergement)

▶ to be* accommodated   être hébergé
▶ a 'campsite   un terrain de camping
▶ a tent   une tente
▶ a youth hostel   une auberge de jeunesse
▶ a bed and breakfast, a B & B   une chambre d'hôte
▶ a guesthouse   une pension de famille

 Listen!

"Where are you going to spend your holidays, Bonnie?" "Well, we are going on a trip to the Lake District. We are staying in a B & B and then in a youth hostel!"

« Où vas-tu passer tes vacances, Bonnie ? – Eh bien, on part en voyage dans le Lake District. On séjourne dans une chambre d'hôte et ensuite à l'auberge de jeunesse. »

275 Travelling by plane, flying (voyager en avion)

▶ the flight /aɪt/   le vol
▶ to fly*   voler
▶ a plane   un avion
▶ an 'airport   un aéroport
▶ an 'airline   une compagnie aérienne
▶ an 'air hostess, a 'stewardess   une hôtesse de l'air
▶ departure /dɪˈpɑːtʃə/   le départ
▶ arrival /əˈraɪvl/   l'arrivée
▶ to board /bɔːd/   embarquer
▶ to take* off   décoller
▶ to land   atterrir
▶ to 'cancel   annuler
▶ 'jetlag   le décalage horaire
▶ a time zone   un fuseau horaire

276 Other means of transport (*autres moyens de transport*)

▸ a car — une voiture
▸ a bus — un bus
▸ a coach — un car
▸ to hitchhike /haɪk/ — faire du stop
▸ a road — une route
▸ a motorway 🇬🇧, a freeway /ˈfriːweɪ/ 🇺🇸 — une autoroute
▸ a toll — un péage
▸ a (railway) station — une gare
▸ railway(s) — les chemins de fer
▸ a train — un train
▸ a boat, a ship — un bateau
▸ a crossing — une traversée
▸ a single ticket 🇬🇧, a one-way ticket 🇺🇸 — un aller simple
▸ a return ticket 🇬🇧, a round trip 🇺🇸 — un aller-retour
▸ the fare /feə/ — le prix [du billet]
▸ to punch — composter
▸ a 'passenger — un passager
▸ a seat /iː/ — un siège
▸ the platform — le quai
▸ de'layed ≠ on time — en retard ≠ à l'heure

"Hello. I would like to buy a return ticket to Southampton, please." "Sure. You'll have to wait on platform B. The train leaves at 9:14." "How much does the fare cost?" "£6.50." "Is it on time?" "I think it is."

« Bonjour. Je voudrais acheter un aller-retour pour Southampton, s'il vous plaît. – Bien sûr. Vous allez devoir attendre sur le quai B. Le train part à 9 h 14. – Combien ça coûte ? – 6 livres 50. – Il est à l'heure ? – Oui, je crois. »

Trouver son chemin ▸ 246-249

Training

1 Complète les traductions suivantes avec les mots qui conviennent.

1. Je veux un aller simple pour Tombouctou.

→ I want a .... Timbuktu.

2. Je me demande si nous serons logés dans une auberge de jeunesse ou dans une chambre d'hôte.

→ I wonder if we will .... in a .... or in a

....

3. L'hôtesse de l'air a dit que l'avion allait décoller dans cinq minutes.

→ The .... said that the .... would ....

in five minutes.

4. Il y a des péages sur les autoroutes françaises.

→ There are .... on ....

⌐ Corrigés p. 349-350 ¬

⚠ CAREFUL!

Les anglophones précisent souvent par leur verbe la façon dont ils se sont rendus quelque part.

I **flew** to the USA last week.
Je suis allé aux États-Unis la semaine dernière. [indication : en avion]

277 Going abroad (aller à l'étranger)

▶ overseas, abroad /əˈbrɔːd/	à l'étranger
▶ a country /ˈkʌntri/	un pays
▶ a foreign /ˈfɒrən/ language	une langue étrangère
▶ the 'customs	la douane
≠ the customs	≠ les coutumes
▶ a 'customs 'officer	un douanier
▶ a 'border	une frontière
▶ to cross (the border)	passer (la frontière)
▶ a visa /ˈviːzə/	un visa
▶ a way of life	un mode de vie

⌐ Le monde anglophone ▶ 305-311 ¬

Listen!

When you go abroad, you sometimes need a passport and a visa, which the customs officer checks. It is preferable to speak foreign languages to understand the customs of the country.

Quand on va à l'étranger, on a parfois besoin d'un passeport et d'un visa, que le douanier vérifie. Il est préférable de parler des langues étrangères pour comprendre les coutumes du pays.

278 Desti'nations (*les destinations*)

Continents (*les continents*)

Africa l'**Afrique**
   African **africain**
Asia /ˈeɪʒə/ l'**Asie**
   Asian /ˈeɪʒən/ **asiatique**
Europe /ˈjʊərəp/ l'**Europe**
   European /ˌjʊərəˈpiːən/ **européen**
A'merica l'**Amérique**
Oceania /ˌəʊʃiˈeɪniə/ l'**Océanie**

Around the globe

Seas and oceans (*les mers et océans*)

the Mediterranean sea la mer Méditerranné
the Atlantic Ocean /ˈəʊʃn/ l'océan Atlantique
the Pacific Ocean l'océan Pacifique
the 'Indian Ocean l'océan Indien

Le monde anglophone ▶ 305-311

New York

▶ New York City est la plus grande ville des États-Unis, la plus peuplée et la plus visitée du pays. Elle se compose de cinq quartiers ou arrondissements (*boroughs*) : Manhattan, Brooklyn, Queens, le Bronx et Staten Island.

▶ Hormis la Statue de la Liberté, située sur Liberty Island à l'entrée du port, les sites les plus célèbres sont à Manhattan : l'*Empire State Building* (dont la vue depuis le 86ᵉ étage est inoubliable), Central Park (341 ha au cœur de la ville), Broadway (l'avenue des théâtres, cinémas et salles de spectacles), le Met (*Metropolitan Museum of Art*) et le Moma (*Museum of Modern Art*) ou le *One World Trade Center* (le plus haut gratte-ciel de la ville, à côté du mémorial du 11 septembre).

Pour en savoir plus

@ Découvrez les principaux endroits touristiques sur nycgo.com

VOCABULAIRE • LE MONDE

In France, we say there are five continents: Africa, Europe, America, Asia and Oceania. Yet, in most English-speaking countries, students learn that there are seven of them: North America, South America, Antarctica, Africa, Europe, Australia and Asia.

En France, on dit qu'il y a cinq continents : l'Afrique, l'Europe, l'Amérique, l'Asie et l'Océanie. Pourtant, dans la plupart des pays anglophones, les élèves apprennent qu'il y en a sept : l'Amérique du Nord, l'Amérique du Sud, l'Antarctique, l'Afrique, l'Europe, l'Australie et l'Asie.

⚠ CAREFUL!

Il faut utiliser la préposition *to* pour indiquer où l'on va (direction) mais la préposition *in* pour indiquer où l'on est ▶158.

I'm going **to** the Lake District. / I'm staying **in** the Lake District.
Je vais à Lake District. / Je séjourne à Lake District.

2 Associe l'élément en gras à l'un des mots proposés.

1. Il faut **passer** la frontière. • • **a.** the customs
2. Il parle trois langues **étrangères**. • • **b.** the journey
3. Où **séjournez**-vous ? • • **c.** the border
4. Il faut passer **la frontière**. • • **d.** foreign
5. Je pars demain **à l'étranger**. • • **e.** a stay
6. J'ai passé un excellent **séjour**. • • **f.** stay
7. À **la douane**, on a fouillé nos bagages. • • **g.** abroad
8. Je vais découvrir **les coutumes** de ce pays. • • **h.** cross
9. **Le voyage** a été terrible. • • **i.** the customs

Corrigés p. 350

Les problèmes mondiaux

To be in the same boat...
[Être dans le même bateau...] Être dans la même galère...

279 Poverty (la pauvreté)

de'veloping 'countries	les pays en voie de développement
de'veloped countries	les pays développés
'poverty	la pauvreté
the poor /pʊə/	les pauvres
food	la nourriture
famine /'fæmɪn/	la famine
'hunger	la faim
malnu'trition	la malnutrition
to die /daɪ/	mourir
to starve	mourir de faim
a lack	un manque
a shortage /'ʃɔːtɪdʒ/	un manque, une pénurie
an eco'nomic crisis /'kraɪsɪs/ (pl. crises)	une crise économique
unem'ployed, out of work	au chômage
'homeless	sans abri
the homeless	les sans-abri
a slum	un taudis
an il'legal immigrant	un émigré clandestin

❱ un'documented	sans papiers
❱ fair trade /feə treɪd/	le commerce équitable
❱ to sup'port	soutenir
❱ to encourage	encourager
❱ to stand* together	être solidaire

 CAREFUL!

To support est à l'origine du nom « supporter » (de football par exemple). Il ne faut pas le confondre avec le verbe français « supporter ». Pour dire à quelqu'un qu'on ne le supporte plus, on dira : *I can't stand you any more!*

L'écologie ▶ 268-272

280 'Racism /eɪ/ *(le racisme)*

❱ 'slavery	l'esclavage
└ a slave /sleɪv/	un esclave
❱ to segregate /'segrɪgeɪt/	séparer
└ segre'gation	la ségrégation
❱ to dis'criminate	faire de la discrimination (contre)
❱ to be discriminated against	subir une discrimination
❱ a 'prejudice	un préjugé
└ to be 'prejudiced	avoir des préjugés
❱ to a'bolish	abolir
❱ to fight*	se battre
❱ inte'gration	l'intégration

 Listen!

After slavery was abolished in 1863 in the USA, black people were still discriminated against. Their community still has to fight against prejudices and racism.

Après que l'esclavage a été aboli en 1863 aux États-Unis, il y avait toujours une discrimination à l'encontre des noirs. Leur communauté doit encore se battre contre les préjugés et le racisme.

L'Apartheid en Afrique du Sud

▶ En Afrique du Sud, la politique de l'*apartheid* a rendu la ségrégation légale et obligatoire de 1948 à 1994. Les habitants, classés selon leur « race », ont été séparés dans tous les domaines (éducation, accès aux soins, transports...). Mais les contestations dans le pays et dans le monde entier ont finalement contraint le gouvernement du Parti national à mettre fin à l'apartheid.

▶ En 1994 eurent lieu les premières élections démocratiques multi-raciales et Nelson Mandela (1918-2013), farouche opposant de l'*apartheid*, devint Président.

281 'Violence (*la violence*)

▶ a bully /ˈbʊli/	une petite brute, un tyran
└ to bully	tyranniser
▶ harassment	le harcèlement
▶ an assault /əˈsɔːlt/	une agression
▶ a 'murder	un meurtre
└ a 'murderer	un assassin
▶ safe	sûr
≠ unsafe, 'dangerous	≠ dangereux
▶ to investigate /ɪnˈvestɪgeɪt/	enquêter
▶ a clue /kluː/	un indice
▶ the police /pəˈliːs/	la police
▶ the law /lɔː/	la loi
▶ a 'prison, a jail	une prison

Training

1 Complète les mots suivants en t'aidant de leur définition.

1. Elle arrive quand on ne mange pas :

H __ __ G __ R

2. On l'est quand on perd son emploi :

U __ __ __ P __ __ __ __ D

3. On l'est quand on vit dans la rue :

H __ __ __ __ __ __ S

4. De nombreux noirs l'étaient aux États-Unis avant 1865 :

S __ __ V __ __

5. C'est une forme de séparation. Martin Luther King s'est battu contre celle des Noirs aux États-Unis dans les années 1960 :

S __ __ __ __ G __ __ __ __ N

6. Quand on est en prison, on ne l'a pas respectée :

L __ __

Corrigés p. 350

282 War /wɔː/ *(la guerre)*

▶ the 'army	l'armée
▶ a soldier /ˈsəʊldʒə/	un soldat
▶ a 'weapon /we/	une arme
▶ a 'victim	une victime
▶ a ci'vilian	un civil
▶ alive /əˈlaɪv/	vivant, en vie
▶ injured /ˈɪndʒəd/	blessé
▶ dead /ded/	mort
▶ the casualties /ˈkæʒʊəltiz/	les pertes
▶ to invade /ɪnˈveɪd/	envahir
▶ a refugee /refjʊˈdʒiː/	un réfugié
▶ to flee*	fuir

283 Humanitarian aid (*l'aide humanitaire*)

▶ 'human rights — les droits de l'homme
▶ humanitarian /hjuːmænɪˈteəriən/ — humanitaire
▶ a 'charity — une organisation caritative
▶ an NGO (non-governmental organisation) — une ONG (organisation non gouvernementale)
▶ to help — aider
▶ to give* — donner
▶ to share — partager
▶ to raise money — collecter de l'argent
▶ to donate /dəʊˈneɪt/ — donner, faire un don
  └ a do'nation — un don
▶ voluntary /ˈvɒləntri/ work — le bénévolat
  └ a volunteer /vɒlənˈtɪə/ — un volontaire, un bénévole
▶ spare /speə/ time — le temps libre

Some people raise money for NGOs that help the victims of war, refugees or the poor. We can help by giving donations or taking part in humanitarian aid.

Certaines personnes collectent de l'argent pour des ONG qui aident les victimes de guerre, les réfugiés ou les pauvres.
On peut aider en faisant des dons ou en prenant part à l'aide humanitaire.

Training

2 Relie les mots suivants avec = s'ils sont de sens proche ou ≠ s'ils sont de sens contraire.

1. a murderer ..... a victim

2. unsafe ..... dangerous

3. to invade ..... to flee

4. to do voluntary work ..... to help

5. war ..... peace

6. dead ..... alive

7. a soldier ..... a civilian

8. to give ..... to donate

(Corrigés p. 350)

La communication

No news is good news.
Prov. : Pas de nouvelles, bonnes nouvelles.

284 Talking /'tɔːkɪŋ/ (parler)

▶ to speak* (to sb)	parler (à qqn)
▶ to say* (sth to sb)	dire (qqch. à qqn)
▶ to tell* sb sth	raconter, dire qqch. à qqn
▶ to chat	bavarder
▶ to con'verse	converser
▶ to ex'change	échanger
▶ to express oneself	s'exprimer
▶ to com'municate	communiquer
▶ to dis'cuss (sth), to talk (about sth)	discuter (de qqch.)
▶ a word	un mot
▶ an idea /aɪˈdɪə/	une idée
▶ a 'sentence	une phrase
▶ a speech	un discours
▶ an opinion, a view	une opinion

"Can we talk?" "What do you want to tell me?" "I have spoken with your teacher and she said that you were chatting in class." "No way! I just communicate."

« On peut parler ? – Qu'est-ce que tu veux me dire ?
– J'ai parlé à ton professeur et elle a dit que tu bavardais en classe.
– Certainement pas ! Je ne fais que communiquer. »

285 As the dis'cussion progresses (au fil de la discussion)

I agree! (je suis d'accord !)

- to a'gree with sb on sth être d'accord avec qqn sur qqch.
- to approve /ə'pruːv/ (of) approuver
- to sup'port soutenir
- to be* right avoir raison
- All right! D'accord !
- Deal! [fam.] Marché conclu !

What do you think?

I disagree! (je ne suis pas d'accord !)

- to disagree ne pas être d'accord
- to be* wrong avoir tort
- to be* against être contre
- No deal! [fam.] Je ne marche pas !
- No way! Pas question !

Les *gap fillers*

• Well, ...	(Eh) bien..., Ben...
• Um, ... Er, ...	Euh...
• So, ...	Donc..., Alors...
• You know.	Tu sais. / Vous savez.
• I mean, ...	Je veux dire...
• Do you see what I mean?	Tu vois/Vous voyez ce que je veux dire ?
• What I'm trying to say is...	Ce que j'essaie de dire, c'est...
• How can I say this?	Comment dire ?
• Er, let me think...	Euh, laisse(z)-moi réfléchir...

I'm shy, you know, but I'd like to... well, to ask you if you would go, I mean, go out with... er... me tonight. What I'm trying to say is that... er... I'd love to spend some time with... um... you.

Je suis timide, tu sais, mais j'aimerais... eh bien, te demander si tu voudrais bien aller, je veux dire, sortir avec... euh... moi, ce soir. Ce que j'essaie de dire, c'est que... euh... j'aimerais beaucoup passer du temps avec... euh... toi.

286 Phoning *(téléphoner)*

▶ a phone number	un numéro de téléphone
▶ a mobile phone 🇬🇧, a cell phone 🇺🇸	un téléphone portable
▶ to call, to phone	appeler
▶ to dial /daɪəl/	composer
▶ to pick up (the receiver)	décrocher (le combiné)
▶ to reach	joindre
▶ an 'answering ma'chine	un répondeur
▶ to leave* a message /mesɪdʒ/	laisser un message

287 Writing /'raɪtɪŋ/ *(écrire)*

▶ mail [indén.]	le courrier
▶ a text (message)	un texto, un sms
└ to text	envoyer des sms
▶ a 'letter	une lettre
▶ a stamp	un timbre
▶ the ad'dress	l'adresse
▶ an 'envelope /ləʊp/	une enveloppe
▶ a writing pad	un bloc [de papier]
▶ a post office	une poste, un bureau de poste
▶ a letterbox, a mailbox	une boîte aux lettres
▶ to post 🇬🇧, to mail 🇺🇸	poster
▶ to send*	envoyer
▶ to receive /rɪˈsiːv/, to get*	recevoir
▶ a pen pal, a penfriend	un correspondant

Les formules de politesse

• Dear...	Cher..., Chère...
• Mr Smith /mɪstə/	M. Smith (Monsieur Smith)
• Mrs Smith /mɪsɪz/	Mme Smith (Madame Smith)
• Sir	Monsieur
• Madam	Madame
• I look forward to + V-ing	Dans l'attente de...
• Best regards	Cordialement
• Yours sincerely	[formule de clôture, nom du dest. mentionné]
• Yours faithfully	[formule de clôture, nom du dest. inconnu]

John Billton
7, Queen Victoria St.   October, 12th
Abingdon

Dear Lucia,

I am your new pen pal. I'm called John and I
live in Abingdon, in England. I'm very happy that
you should be my pen pal. I hope we have a lot
of common points.

Love,
John x x x

I have a pen pal who lives in Liverpool. I love receiving his letters,
the envelopes are always special. But we also use the internet a
lot to communicate.

J'ai un correspondant qui habite à Liverpool. J'adore recevoir ses
lettres, les enveloppes sont toujours spéciales. Mais on utilise
aussi beaucoup Internet pour communiquer.

1 **Quel mot correspond à chacune de ces définitions ?**
1. Elle est souvent symbolisée par une ampoule dans les B.D. :

....

2. Il habite ailleurs et on lui écrit : ....

3. Petit message sur le téléphone portable : ....

4. Il faut le coller sur l'enveloppe pour que la lettre arrive :

....

5. On lui arrache des feuilles : ....

Corrigés p. 350

288 Getting informed (*s'informer*)

▶ the news [indén.]	les nouvelles
▶ a topic	un sujet
▶ 'topical	d'actualité
▶ a news item /aɪ/	une information, un fait divers
▶ information [indén.]	des informations, des renseignements
▶ to in'form	informer
▶ to get* informed	s'informer
▶ to hear* about	entendre parler de
▶ to be* about, to deal* with	parler de [pour un document]

CAREFUL!

News et *information* sont indénombrables malgré le -s à la fin de *news* ▶ 74 ! Pour dire « une nouvelle » ou « une information », il faut utiliser *a piece of* ou *a news item*.

289 Television and radio (*la télévision et la radio*)

▶ a 'radio 'station	une station de radio
▶ the 8 o'clock news	le journal télévisé de 20 heures
▶ What's on?	Qu'est-ce qu'il y a [à la télé] ?
▶ a 'channel	une chaîne
▶ a programme, a broadcast	une émission
▶ a re'port	un reportage
▶ a docu'mentary	un documentaire
▶ a 'serial	un feuilleton
▶ a TV 'series	une série télé
▶ a com'mercial	un spot publicitaire
▶ to 'broadcast*	diffuser
▶ a viewer /vjuːə/	un téléspectateur
▶ a (satellite) dish	une parabole
▶ to have* cable TV	avoir le câble
▶ to channel-hop	zapper

"Hey John, what's on tonight?" "I think there is a documentary about dolphins on my favourite channel." "Oh, not that! I'd rather watch a series."

« Hé, John ! Qu'est-ce qu'il y a à la télé ce soir ? – Je crois qu'il y a un documentaire sur les dauphins sur ma chaîne préférée. – Oh non, pas ça ! Je préférerais regarder une série. »

Les médias britanniques

▶ Le réseau télévisé le plus important en Grande-Bretagne est la BBC (*British Broadcasting Corporation*), qui dif-  fuse dans les régions (*BBC Scotland*...) mais aussi au niveau national (*BBC1*, *BBC2*...) et international (*BBC World*), avec des podcasts sur Internet.

▶ La presse, elle, était beaucoup lue mais a tendance à disparaître au profit de journaux en ligne, comme : www.thetimes.co.uk, www.inde-pendent.co.uk... Mais les *tabloids*, qui ont un format plus petit que les autres journaux et sont spécialisés dans la presse people, demeurent très populaires.

290 The press (*la presse*)

▶ a newspaper	un journal
▶ the newsagent	le marchand de journaux
▶ a maga'zine	un magazine
▶ a 'journal	une revue
▶ a daily	un quotidien
▶ the front page	la une
▶ a heading, a headline /'hedlaɪn/	un titre
▶ an 'article	un article
▶ to 'publish	publier
▶ sen'sational	à sensation
▶ a subscription	un abonnement
└ to take* out a subscription (to)	s'abonner (à)

291 The internet (*Internet*)

▶ a com'puter — un ordinateur
▶ a laptop (computer) — un (ordinateur) portable
▶ the keyboard /kiːbɔːd/ — le clavier
▶ the mouse /maʊs/ — la souris
▶ the printer — l'imprimante
▶ software [indén.] — les logiciels
▶ a file /faɪl/ — un dossier
▶ a memory stick, a flash drive — une clé USB
▶ an internet pro'vider — un fournisseur d'accès
▶ to surf the web — surfer sur le web
▶ a browser — un navigateur
▶ a (social) network — un réseau (social)
▶ to log on — se connecter
▶ to download — télécharger
▶ to at'tach (a document) — joindre (un fichier)
 └ an at'tachment — un fichier joint

Training

2 Remets les lettres dans le bon ordre et fais correspondre à chaque mot sa définition.

a. CHAMTTTANE .... = n° ....
b. CHAWNIEESGRNNAIM .... = n° ....
c. TISSNOIBUCPR .... = n° ....
d. REEIWV .... = n° ....

1. You can leave a message on it.
2. He watches TV.
3. You can add it to an email.
4. You can take one out if you want to receive a magazine regularly.

(Corrigés p. 350)

VOCABULAIRE • LE MONDE

Créations et découvertes

« Tu sais qui a inventé le télescope ?
– Demande à Bob ! C'est une encyclopédie ambulante ! »

292 Monuments and works of art (les monuments et les œuvres d'art)

Works of art (les œuvres)

- a painting un tableau
- a statue /'stætʃuː/ une statue
- a 'photo(graph) une photo(graphie)
- a 'portrait un portrait
- a drawing un dessin
- a caricature /'kærɪkətʃʊə/ une caricature
- a comic strip une bande dessinée
- a cartoon un dessin animé/humoristique
- a poster une affiche

Monuments (les monuments)

- a church une église
- a cathedral /kə'θiːdrəl/ une cathédrale
- a bridge un pont
- a castle /'kɑːsl/ un château
- a palace /'pæləs/ un palais

Artists (les artistes)

- a painter un/une peintre
- a sculptor un sculpteur, une sculptr[ice]
- an architect un/une architecte
- a pho'tographer un/une photograp[her]

- to create /kri'eɪt/ — créer
- to in'vent — inventer
- to draw* — dessiner
- a picture /'pɪktʃə/ — une image

Christopher Wren is the architect who designed Saint Paul's Cathedral. It is located near the Thames and the Millenium Bridge, which was inaugurated in 2000.

Christopher Wren est l'architecte qui a fait les plans de la cathédrale Saint-Paul. Elle est située près de la Tamise et du pont du Millénaire qui a été inauguré en 2000.

1 Associe chaque élément à sa catégorie. (Une recherche d'images sur Internet peut t'aider.)

1. Buckingham •
2. The Golden Gate •
3. *Beauty and the Beast* •
4. Saint Paul's •
5. Madame Tussaud's •
6. Tate Modern •
7. Hampton Court •
8. MoMA •

• **a.** a cartoon
• **b.** a museum
• **c.** a cathedral
• **d.** a palace
• **e.** a bridge

Corrigés p. 350

293 Heroes and heroines (*héros et héroïnes*)

▌ Alice in 'Wonderland   Alice au pays des merveilles
▌ Cinde'rella   Cendrillon
▌ Snow White and the Seven   Blanche Neige et les sept nains
   Dwarfs/Dwarves
▌ Sleeping Beauty   la Belle au bois dormant
▌ Prince Charming   le Prince charmant
▌ Little Red Riding Hood   le Petit Chaperon rouge
▌ Robin Hood   Robin des Bois
▌ Puss in Boots   le Chat botté
▌ Uncle Scrooge   Oncle Picsou

294 Science /aɪ/ (la science)

- a 'scientist — un scientifique
  - └ scien'tific [adj.] — scientifique
- to study /ʌ/ — étudier
- a field — un domaine
- an ex'periment — une expérience
- a researcher — un chercheur
  - └ re'search — la recherche
- a dis'covery — une découverte
  - └ to dis'cover — découvrir
- a solution — une solution
- to prove /uː/ — prouver
- DNA — l'ADN
- GMOs (genetically modified organisms) — les OGM
- to clone — cloner

Scientists make discoveries concerning various fields such as chemistry or mathematics. Some make experiments in labs about GMOs and DNA. Some of their discoveries are exhibited in museums.

Les scientifiques font des découvertes concernant de nombreux domaines tels que la chimie ou les mathématiques. Certains font des expériences dans des laboratoires sur les OGM et l'ADN. Certaines de leurs découvertes sont exposées dans des musées.

Les musées Londoniens

▶ Londres compte de nombreux musées, dont beaucoup sont gratuits : le *British Museum* (ci-contre), qui abrite des objets rares et des livres anciens, la *National Gallery* et la *Tate Gallery*, où se trouvent de très célèbres collections d'art, et aussi des musées scientifiques comme le *Science Museum* et le *National History Museum*. Mais on peut aussi se détendre en allant voir le musée de Madame Tussaud, où les célébrités ont leur statue de cire !

CAREFUL!

Les noms de sciences en *-ics* sont suivis d'un verbe au singulier.

Physics is interesting.
La physique est intéressante.

295 Space 'conquest (*la conquête spatiale*)

- the Earth /ɜːθ/ — la Terre
- the sky /aɪ/ — le ciel
- space /eɪ/ — l'espace
- the sun — le soleil
- the 'solar 'system — le système solaire
- the moon — la lune
- a star — une étoile
- a 'planet — une planète
- a 'galaxy — une galaxie
- to re'volve — tourner

- a 'telescope — un télescope
- an as'tronomer — un astronome
- a spaceman — un astronaute
- a 'rocket — une fusée

Training

2 Raye l'intrus dans chaque liste.

1. biology • discovery • geology • astronomy
2. DNA • GMOs • NGOs • cloning
3. to study • to revolve • to prove • to create
4. an experiment • a portrait • a statue • a painting
5. the Earth • the sun • the moon • the sky
6. a star • a telescope • a planet • a galaxy

(Corrigés p. 350)

Fêtes et traditions

« Des bonbons ou un sort ? »

296 Celebrations (*les célébrations, les fêtes*)

▶ to 'celebrate	célébrer, fêter
▶ the National Day	la fête nationale
▶ a bank/public 'holiday	un jour férié
▶ holidays 🇬🇧, va'cation 🇺🇸	les vacances
▶ a parade /pə'reɪd/	un défilé
▶ a 'festival	une fête, un festival
▶ carnival /'kɑːnɪvl/	le carnaval

Saluer, se présenter, inviter ▶ 190-194

In the USA, Independence Day is the National Day and a public holiday. That's why there are celebrations, parades and fireworks in every American city on July 4th.

Aux États-Unis, le jour de l'Indépendance est la fête nationale et un jour férié. C'est pourquoi il y des célébrations, des défilés et des feux d'artifice dans toutes les villes américaines le 4 juillet.

297 Halloween (October 31st)

▶ to play a trick on sb	jouer un tour à qqn
▶ to dress up	se déguiser
▶ a costume /kɒstjuːm/	un déguisement
▶ 'scary	effrayant
▶ a witch	une sorcière
▶ a ghost	un fantôme
▶ a skeleton /skelɪtən/	un squelette
▶ an owl /aʊl/	un hibou
▶ a 'spider	une araignée
▶ a pumpkin /pʌmpkɪn/	une citrouille
▶ a Jack-o'-lantern	une lanterne-citrouille
▶ sweets ⬛⬛, candy ⬛⬛	des bonbons

298 Guy Fawkes' Night, Bonfire Night (November 5th)

▶ a conspirator	un conspirateur
▶ a plot, a conspiracy	un complot
▶ a treason /triːzn/	une trahison
▶ gunpowder /gʌnpaʊdə/	de la poudre à canon
▶ Parliament /pɑːləmənt/	le Parlement
▶ fireworks /faɪəwɜːks/	des feux d'artifice
▶ a 'bonfire	un feu de joie
▶ to burn*	brûler

A traditional nursery rhyme (Une comptine traditionnelle)

Remember, remember the fifth of November
Gunpowder, treason and plot.
I see no reason, why gunpowder treason
Should ever be forgot*.

Souviens-toi, souviens-toi du cinq novembre
Poudre à canon, trahison et complot,
Je ne vois aucune raison de jamais
oublier la trahison des poudres.

* Aujourd'hui, on dirait *forgotten*.

▶ Ce soir-là, en Grande-Bretagne, on célèbre l'échec de la Conspiration des poudres (*Gunpowder plot*) menée contre le Parlement de Westminster et le roi protestant Jacques Ier (5 novembre 1605). Dans tout le pays, on tire des feux d'artifice et on embrase des feux de joie sur lesquels brûle l'effigie du plus célèbre des conspirateurs catholiques : Guy Fawkes.

299 Thanks'giving (4th Thursday in November in the USA)

▶ the 'Pilgrim Fathers	les Pères pèlerins
▶ a settler	un colon
▶ 'Indians, Native A'mericans	les Indiens [d'Amérique]
▶ to 'harvest	récolter, moissonner
▶ corn, maize /eɪ/	du maïs
▶ a turkey /tɜːki/	une dinde
▶ a 'cranberry	une airelle, une canneberge
▶ to thank /θæŋk/	remercier
▶ to share /eə/	partager

In the USA and Canada, Thanksgiving is an important day when families get together to share a nice meal. They traditionally eat turkey with cranberry sauce, potatoes, corn and pumpkin pie.

Aux États-Unis et au Canada, Thanksgiving est un jour important où les familles se réunissent pour partager un bon repas. Traditionnellement, ils mangent de la dinde avec de la sauce aux airelles, des pommes de terre, du maïs et de la tarte à la citrouille.

Le premier *Thanksgiving*

▌ Partis de Plymouth (Angleterre) à bord du *Mayflower*, les Pères pèlerins arrivent en Amérique, dans ce qui est aujourd'hui l'État du Massachusetts, en novembre 1620.

▌ À l'automne 1621, pour célébrer la récolte abondante et remercier Dieu et les Indiens de leur aide, les Pères pèlerins organisent un grand repas qu'ils partagent avec leurs bienfaiteurs.

300 'Christmas (December 25th)

▌ a Christmas tree	un sapin de Noël
▌ Father Christmas, Santa Claus	le père Noël
▌ Boxing Day	le lendemain de Noël [férié en Grande-Bretagne]
▌ a sleigh /sleɪ/	un traîneau
▌ a 'reindeer [inv.]	un renne
▌ a candle /kændl/	une bougie
▌ lights	des lumières
▌ holly	du houx
▌ mistletoe /ˈmɪsltəʊ/	du gui
▌ a 'present, a gift	un cadeau
▌ Christmas 'pudding	le pudding [dessert de Noël]
▌ Christmas 'carols	des chants de Noël

On Christmas Eve, my little sister dreams of seeing Santa Claus crossing the sky above the house on his sleigh full of presents. Her favourite reindeer is Rudolf, of course.

La veille de Noël, ma petite sœur rêve de voir le père Noël traverser le ciel au-dessus de la maison sur son traîneau rempli de cadeaux. Son renne préféré est Rudolf, bien sûr.

🔢301 Valentine's Day (February 14th)

▌ a 'Valentine /aɪ/ (card)   une carte de la Saint-Valentin
▌ to love   aimer
▌ to kiss   embrasser
▌ 'friendship   l'amitié
▌ an ad'mirer /aɪ/   un admirateur
▌ a 'boyfriend   un petit ami
▌ a 'girlfriend   une petite amie
▌ a heart /hɑːt/   un cœur

On Valentine's day, British people give Valentines to their girlfriend or boyfriend, but also to the people they like. Sometimes, they get a card from a secret admirer.

Le jour de la Saint-Valentin, les Britanniques offrent des cartes à leur petit(e) ami(e), mais aussi aux personnes qu'ils aiment bien. Parfois ils reçoivent une carte d'un admirateur secret.

🔢302 St Patrick's Day (March l7th)

▌ Ireland /aɪələnd/   l'Irlande
▌ Irish   irlandais
▌ a Patron Saint   un saint patron
▌ green   vert
▌ a 'shamrock   un trèfle [irlandais]
▌ a leprechaun /ˈleprɪkɔːn/   un farfadet, un lutin

St Patrick's Day is a celebration of Irish culture throughout the world. On March 17th, Irish people parade in the streets, wearing green, shamrocks or costumes of Leprechauns.

La Saint-Patrick célèbre la culture irlandaise dans le monde entier. Le 17 mars, les Irlandais défilent dans les rues, portant du vert, des trèfles ou des costumes de farfadets.

▶ Célébré le 17 mars, fête nationale en Irlande, le saint patron des Irlandais est né en Grande-Bretagne vers 385. Kidnappé par des pirates irlandais vers l'âge de 16 ans, il passe quelques années de captivité en Irlande puis s'en échappe en 411. Il y revient en 432 pour évangéliser le pays et utilise le trèfle (*shamrock*) pour expliquer la Trinité dans la religion catholique. Il meurt le 17 mars 461.

303 Easter /'iːstə/ **(Pâques)**

▶ the Holy week	la semaine sainte
▶ Good Friday, Holy Friday	le Vendredi saint
▶ 'chocolate	du chocolat
▶ an egg hunt	une chasse aux œufs
▶ the Easter bunny/hare	le lapin de Pâques
▶ to hide* /aɪ/	cacher
▶ a 'basket	un panier
▶ a bell	une cloche
▶ 'jellybeans	des bonbons dragéifiés

1 Retrouve le mot qui correspond.

1. .... 2. .... 3. .... 4. ....

Corrigés p. 350

304 Other important dates (d'autres dates importantes)

- New Year's Day (January 1st) — le Nouvel An
- Shrove Tuesday, Pancake Day — Mardi gras
- April Fools' Day (April 1st) — le 1er avril
- Labour 🇬🇧 / Labor 🇺🇸 Day — la fête du travail
- Inde'pendence Day (July 4th) — le jour de l'Indépendance (États-Unis)
- Remembrance Day (Nov. 11th), Poppy Day — le jour du Souvenir, l'armistice [litt. « jour du coquelicot »]

(Le monde anglophone ▶ 305-311)

Training

2 De quelle fête s'agit-il ?

1. On that day, in the morning, you usually find lots of presents under a tree. ....

2. This is a special night in autumn with fireworks in the sky of Britain. ....

3. This is a special night in autumn when you can see your neighbours in scary costumes. ....

4. It isn't in December, but on that day, American people often eat turkey. ....

5. This is a special Sunday when children get chocolate and sweets. ....

6. This is the National Day in Ireland. ....

7. On that day, people wear a poppy (un coquelicot) to remember the people who died in the wars. ....

8. This is a day in spring when you can play tricks on a lot of people. ....

(Corrigés p. 350)

Le monde anglophone

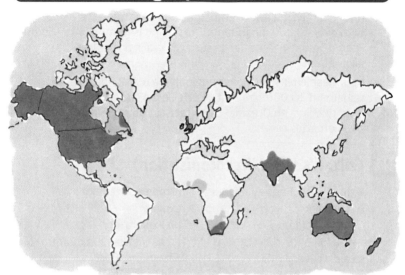

305 The main countries (*les principaux pays*)

country	nationality	capital city
the U'nited 'Kingdom	British	London
the Re'public of Ireland /aɪələnd/ (Eire)	Irish /aɪrɪʃ/	Dublin
the U'nited States of A'merica (U.S.A)	A'merican	Washington D.C.
'Canada	Canadian /kə'neɪdɪən/	Ottawa
Ja'maica	Ja'maican	Kingston
South 'Africa	South 'African	Pretoria Cape Town
Aus'tralia	Aus'tralian	Canberra
New Zealand /'ziːlənd/	New Zealand(er)	Wellington
'India	'Indian	New Delhi

317

Listen!

Nauru is the smallest English-speaking country in the world, with only 10,000 inhabitants. This island is located in the South Pacific Ocean, in Oceania. Its surface area is only 21 square kilometres!

Nauru est le plus petit pays anglophone du monde, avec seulement 10 000 habitants. Cette île est située dans l'océan Pacifique Sud, en Océanie. Sa surface est de seulement 21 kilomètres carrés !

306 Coloni'sation (*la colonisation*)

▶ the British Empire /ˈempaɪə/	l'Empire britannique
▶ to ex'plore	explorer
∟ an ex'plorer	un explorateur
▶ a sailor	un navigateur, un marin
▶ to dis'cover	découvrir
▶ a 'conquest	une conquête
▶ an in'habitant	un habitant
∟ inhabited ≠ uninhabited	habité ≠ inhabité
▶ to settle	s'installer
∟ a 'settler	un pionnier, un colon
▶ a 'colony, a 'settlement	une colonie
▶ to govern, to rule, to run*	gouverner, diriger
▶ inde'pendence	l'indépendance

Le monarque d'Angleterre et le Commonwealth

▶ Le monarque d'Angleterre et du Royaume-Uni n'a pas de réel pouvoir politique, mais il est à la fois chef de l'État, des forces armées et de l'église anglicane, et c'est lui qui investit le Premier ministre après les élections.

▶ Il est aussi chef du Commonwealth, une organisation volontaire d'une cinquantaine de pays (en grande majorité, anciennes colonies britanniques), et règne donc officiellement sur les seize royaumes qui en font partie (dont le Canada, l'Australie, la Nouvelle-Zélande et la Jamaïque). Ainsi, même si son rôle paraît symbolique, il est un leader reconnu par près de 30% de la population mondiale !

307 The United Kingdom (*le Royaume-Uni*)

the United Kingdom	city	nationality
England l'Angleterre	London	English (+ British)
Scotland l'Écosse	Edinburgh	Scottish (+ British)
Wales le pays de Galles	Cardiff	Welsh (+ British)
(Great) Britain la Grande-Bretagne [England + Scotland + Wales]	London	British
Northern Ireland (Ulster) l'Irlande du Nord	Belfast	Irish (+ British)

Le drapeau britannique

England + Scotland + Northern Ireland → Union Jack (UK)

- the British Isles /aɪlz/ — les îles Britanniques
- the Queen — la reine
- the King — le roi
- the royal /rɔɪəl/ family — la famille royale
- a monarchy /mɒnəki/ — une monarchie
- the Prime /aɪ/ 'Minister — le Premier ministre
- parlia'mentary — parlementaire
- an M.P. (Member of Parliament) — un député
- the House of Commons — la Chambre des communes [pouvoir législatif]
- a motto — une devise
- a national anthem /ænθəm/ — un hymne national

Listen! 🎧

The United Kingdom is a parliamentary monarchy: the Queen or King is the official Head of State, but the power is in the hands of the Prime Minister and the House of Commons.

Le Royaume-Uni est une monarchie parlementaire : la reine ou le roi est le chef de l'État officiel, mais le pouvoir est entre les mains du Premier ministre et de la Chambre des communes.

308 The Republic of Ireland (la République d'Irlande)

▶ the Emerald /ˈemərəld/ Isle   l'île émeraude
▶ Eire /ˈeərə/   l'Eire [autre nom de la République d'Irlande]
▶ an Irish pub   un pub irlandais
▶ the Celts /ˈkelts/   les Celtes
▶ a Celtic language   une langue celte
▶ Gaelic /ˈgeɪlɪk/   le gaélique [langue celte]

(Fêtes et traditions ▶ 296-304)

Training

1 Coche le nom des pays qui font partie du Royaume-Uni.

❑ Scotland   ❑ Poland
❑ the USA   ❑ New Zealand
❑ Canada   ❑ Republic of Ireland
❑ Ulster   ❑ England
❑ Wales   ❑ Northern Ireland
❑ Australia   ❑ India

(Corrigés p. 350)

309 The United States of America (*les États-Unis*)

- 'Native A'mericans, Indians — les Indiens (d'Amérique)
- the star-spangled banner — la bannière étoilée
- a star — une étoile
- a stripe /aɪ/ — une bande, une rayure
- the American Dream /iː/ — le rêve américain
- 'freedom, 'liberty — la liberté
- the Revo'lutionary War, the War of Independence (1775-1783) — la guerre d'Indépendance
- the Gold Rush /ʌ/ (1850s) — la Ruée vers l'or
- the Civil War (1861-1865) — la guerre de Sécession
- the White House — la Maison Blanche
- the House of Repre'sentatives — la Chambre des représentants
- the Senate /senət/ — le Sénat

Fêtes et traditions ▶ 296-304

La guerre d'Indépendance

Les États-Unis sont nés le 4 juillet 1776, jour où les treize colonies britanniques d'Amérique ont proclamé leur indépendance. Mais les soldats du roi d'Angleterre n'ont capitulé qu'en 1783, alors que les troupes américaines, aidées par les Français et le général Lafayette, étaient sous le commandement d'un certain général Washington.

Washington Crossing the Delaware, by Emanuel Leutze (1851).

310 Australia (*l'Australie*)

- the Southern /sʌðən/ 'hemisphere — l'hémisphère sud
- the Abo'rigines, the Abo'riginals — les Aborigènes
  └ aboriginal /æbəˈrɪdʒənl/ — aborigène
- a trail /eɪ/, a track — une piste
- the Great Barrier /bæriə/ Reef — la Grande Barrière de corail
- the Outback /ˈaʊtbæk/ — la brousse australienne
- a cattle station — un ranch australien

311 India (l'Inde)

▶ an empress	une impératrice
▶ the English-speaking elite /r'liːt/	l'élite anglophone
▶ Pakistan	le Pakistan
▶ the East India 'Company	la compagnie des Indes orientales
▶ mon'soon	la mousson
▶ Indian cui'sine	la cuisine indienne
▶ a sari /'saːri/	un sari [vêtement traditionnel]
▶ a rupee	une roupie [monnaie indienne]
▶ the film 'industry (Bollywood)	l'industrie cinématographique

India has changed a lot since the time when Queen Victoria was Empress of India, but the English-speaking elite still rules the country. Nowadays, the country is famous among other things for its film industry called Bollywood (Bombay + Hollywood).

L'Inde a beaucoup changé depuis l'époque où la reine Victoria était impératrice des Indes mais l'élite anglophone dirige toujours le pays. De nos jours, le pays est célèbre entre autres pour son industrie cinématographique appelée Bollywood.

Gandhi et l'indépendance de l'Inde

▶ Gandhi, souvent dénommé *Mahatma* (mot sanskrit signifiant « grande âme »), adepte de la non-violence, débuta sa campagne contre la domination britannique en Inde en 1920. L'indépendance fut acquise en 1947, date à laquelle les Indes britanniques furent séparées en deux pays : l'Inde et le Pakistan. L'anniversaire de Gandhi (2 octobre) est le jour de la fête nationale en Inde.

Training

2 Écris le nom du lieu qui correspond à chaque liste.

1. United States + Washington + house + president :

....

2. United States + Western coast + Los Angeles + film industry :

....

3. British Empire + rupee + Gandhi + Bollywood :

....

4. Southern hemisphere + Great Barrier Reef + Aborigines + Outback :

....

5. Australia + Pacific Ocean + fish + corals :

....

Corrigés p. 350

[puzzled: *perplexe*]

CONJUGAISON

Be et les verbes réguliers

312 Le verbe *be*

	FORME AFFIRMATIVE	FORME INTERROGATIVE	FORME NÉGATIVE
Présent	I am we/you/they **are** he/she/it **is**	**am** I? **are** we/you/they? **is** he/she/it?	I **am** not we/you/they **are** not he/she/it **is** not
Prétérit	I/he/she/it **was** we/you/they **were**	**was** I/he/she/it? **were** we/you/they?	I/he/she/it **was** not we/you/they **were** not
Present perfect	I/we/you/they **have** been he/she/it **has** been	**have** I/we/you/they been? **has** he/she/it been?	I/we/you/they **have** not been he/she/it **has** not been

NB : Seules les formes pleines figurent dans ce tableau.

Formes contractées ▶ 1-4

313 Les verbes réguliers (exemple : *play*)

	FORME AFFIRMATIVE	FORME INTERROGATIVE	FORME NÉGATIVE
Présent	I/we/you/they play he/she/it plays	do I/we/you/they play? do**es** he/she/it play?	I/we/you/they do not play he/she/it do**es** not play
Présent en *be* + *V-ing*	I **am** play**ing** we/you/they **are** play**ing** he/she/it **is** play**ing**	**am** I play**ing**? **are** we/you/they play**ing**? **is** he/she/it play**ing**?	I **am** not play**ing** we/you/they **are** not playing he/she/it **is** not play**ing**
Prétérit	I play**ed** [même forme à toutes les pers.]	**did** I play? [même forme à toutes les pers.]	I **did** not play [même forme à toutes les pers.]
Present perfect	I/we/you/they **have** play**ed** he/she/it **has** play**ed**	**have** I/we/you/they play**ed**? **has** he/she/it play**ed**?	I/we/you/they **have** not play**ed** he/she/it **has** not play**ed**

Les verbes irréguliers

314 Les 30 verbes essentiels

INFINITIF	PRÉTÉRIT	PART. PASSÉ	SENS
be	was, were	been	*être*
become	became	become	*devenir*
begin	began	begun	*commencer*
break	broke	broken	*casser*
buy	bought /ɔ:/	bought /ɔ:/	*acheter*
come	came	come	*venir*
do	did	done	*faire*
drink	drank	drunk	*boire*
eat	ate /eɪ/	eaten	*manger*
forget	forgot	forgotten	*oublier*
get	got	got / gotten [US]	*obtenir*
give	gave	given	*donner*
go	went	gone	*aller*
have	had	had	*avoir*
hear /ɪə/	heard /ɜ:/	heard /ɜ:/	*entendre*
know /nəʊ/	knew /nju:/	known	*savoir / connaître*
leave	left	left	*quitter*
make	made	made	*faire*
read /i:/	read /e/	read /e/	*lire*
run	ran	run	*courir*
say /eɪ/	said /e/	said /e/	*dire*
see	saw	seen	*voir*
speak	spoke	spoken	*parler*
spend	spent	spent	*passer / dépenser*
take	took	taken	*prendre*
tell	told	told	*dire / raconter*
think	thought	thought	*penser*
understand	understood	understood	*comprendre*
win	won /ʌ/	won /ʌ/	*gagner*
write /raɪt/	wrote /rəʊt/	written /rɪtən/	*écrire*

INFINITIF	PRÉTÉRIT	PART. PASSÉ	SENS
bear /eə/	bore	borne be born	*porter* *naître*
beat	beat	beaten	*battre*
bite /aɪ/	bit /ɪ/	bitten /ɪ/	*mordre*
bleed	bled	bled	*saigner*
blow	blew	blown	*souffler*
bring	brought /ɔː/	brought /ɔː/	*apporter*
build /ɪ/	built	built	*construire*
burn	burned, burnt	burned, burnt	*brûler*
burst	burst	burst	*éclater*
catch	caught	caught	*attraper*
choose /uː/	chose /əʊ/	chosen /əʊ/	*choisir*
cost	cost	cost	*coûter*
cut	cut	cut	*couper*
deal /iː/	dealt /e/	dealt /e/	*distribuer*
draw	drew	drawn	*dessiner/ tirer*
dream /iː/	dreamed, dreamt /e/	dreamed, dreamt /e/	*rêver*
drive	drove	driven	*conduire*
dwell	dwelled, dwelt	dwelled, dwelt	*résider*
fall	fell	fallen	*tomber*
feed	fed	fed	*nourrir*
feel	felt	felt	*ressentir*
fight	fought /ɔː/	fought /ɔː/	*combattre*
find	found	found	*trouver*
flee	fled	fled	*fuir*
fling	flung	flung	*lancer*
fly	flew	flown	*voler (avec des ailes)*
forbid	forbade	forbidden	*interdire*
freeze	froze	frozen	*geler*
grow	grew	grown	*(faire) pousser*
hang	hung	hung	*pendre*
hide /aɪ/	hid /ɪ/	hidden /ɪ/	*cacher*
hit	hit	hit	*frapper*
hold /əʊ/	held	held	*tenir*
hurt /ɜː/	hurt	hurt	*faire mal*

keep	kept	kept	*garder*
lay	laid	laid	*étendre / poser*
lead /iː/	led	led	*mener*
learn	learned, learnt	learned, learnt	*apprendre*
lend	lent	lent	*prêter*
let	let	let	*laisser / louer*
lie	lay	lain	*être allongé*
lose /uː/	lost /ɒ/	lost /ɒ/	*perdre*
mean /iː/	meant /e/	meant /e/	*vouloir dire*
meet /iː/	met /e/	met /e/	*rencontrer*
mow	mowed	mowed, mown	*tondre*
pay	paid	paid	*payer*
put	put	put	*poser*
ride	rode	ridden	*aller à cheval / à bicyclette*
ring	rang	rung	*sonner*
rise	rose	risen	*se lever*
sell	sold	sold	*vendre*
send	sent	sent	*envoyer*
set	set	set	*placer / fixer*
shine	shone	shone	*briller*
shoot	shot	shot	*tirer / abattre*
show	showed	showed, shown	*montrer*
shut	shut	shut	*fermer*
sing	sang	sung	*chanter*
sit	sat	sat	*être assis*
sleep /iː/	slept /e/	slept /e/	*dormir*
smell	smelled, smelt	smelled, smelt	*sentir*
split	split	split	*fendre / séparer*
spread /e/	spread	spread	*étaler*
stand	stood	stood	*être debout*
steal	stole	stolen	*voler, dérober*
strike	struck	struck	*frapper*
sweep	swept	swept	*balayer*
swim	swam	swum	*nager*
teach	taught	taught	*enseigner*
throw /əʊ/	threw /uː/	thrown /əʊ/	*lancer*
wear /eə/	wore	worn	*porter (vêtement)*
weep	wept	wept	*pleurer*

PRONONCIATION

Les sons

Il faut apprendre comment les mots se prononcent car on ne peut pas le deviner. Pour savoir comment se prononce un mot, on peut chercher sa transcription phonétique dans un dictionnaire ou un ouvrage de vocabulaire.

Tous les exemples qui suivent sont enregistrés sur le site www.bescherelle.com.

316 Les voyelles

Voyelles brèves

/ɪ/	pig	entre le /e/ de « pré » et le /i/ de « riz ».
/e/	hen	entre le /e/ de « pré » et le /ɛ/ de « crème ».
/æ/	cat	« a » prononcé avec la bouche bien ouverte, proche du /a/ de « malade ».
/ɒ/	dog	« o » prononcé la bouche ouverte comme pour prononcer le /ɑ/ de « pâte ».
/ʊ/	good	plus bref que le /u/ français de « poule », par exemple.
/ʌ/	bus	entre le /ɑ/ de « pâte » et le /a/ de « malade ».
/ə/	about	se prononce comme le /ə/ de « petit ».

 CAREFUL!

/ə/ est le son le plus employé de la langue anglaise. Et pourtant on l'entend à peine !

Voyelles longues

▶ Les sons longs sont matérialisés par /ː/.

/iː/ beach   /ɑː/ car   /ɔː/ more   /uː/ moon   /ɜː/ bird

▶ Il est important de ne pas confondre les sons qui se distinguent surtout par leur longueur, cela change tout !

ship /ɪ/ ≠ sheep /iː/	pull /ʊ/ ≠ pool /uː/
bateau mouton	tirer bassin

Diphtongues

🕩 Une diphtongue est l'association de deux sons vocaliques (voyelles).

/eɪ/ make	/ɔɪ/ boy	/aʊ/ house	/eə/ hair
/aɪ/ five	/əʊ/ note	/ɪə/ dear	/ʊə/ poor

🕩 Une diphtongue peut être suivie de /ə/.

/aɪə/ fire	/aʊə/ power	/eɪə/ player	/əʊə/ lower

 Les consonnes

🕩 Les consonnes suivantes ne posent pas de difficulté de lecture.

/b/ bed	/g/ gag	/k/ kick	/n/ nine	/s/ see	/w/ water
/d/ dear	/h/ house	/l/ mile	/p/ pat	/t/ time	/z/ seize
/f/ five	/j/ yoga	/m/ mile	/r/ red	/v/ view	

⚠ CAREFUL!

• /d/ et /t/ se prononcent en anglais avec la langue contre le palais, et non contre les dents comme en français.
• /h/ se prononce presque toujours en anglais.
• Le son /r/ est très différent en anglais et en français. Le /r/ anglais est assez proche du /w/ de « whisky », mais la gorge est plus serrée.

🕩 Il faut retenir les symboles phonétiques /ŋ/, /ʃ/ et /ʒ/ car ils ne ressemblent pas aux lettres de l'alphabet.

/ŋ/ sitting   comme dans « parking »
/ʃ/ shine   comme dans « cheval »
/ʒ/ pleasure   comme dans « juin »

🕩 Les symboles /ð/ et /θ/ nécessitent une attention particulière car les sons auxquels ils correspondent n'ont aucun équivalent en français.

/ð/ this   proche du /z/ mais la langue sous les dents du haut
/θ/ thirsty proche du /s/ mais la langue sous les dents du haut

Les mots

318 Le groupe « voyelle + consonne + e »

Le groupe voyelle + consonne se prononce souvent différemment selon qu'il est ou non suivi d'un *e*.

| fat /æ/ ≠ fate /eɪ/ | Tim /ɪ/ ≠ time /aɪ/ |
| pal /æ/ ≠ pale /eɪ/ | bit /ɪ/ ≠ bite /aɪ/ |

319 La syllabe accentuée (')

▶ Chaque mot de plus d'une syllabe comporte une syllabe plus accentuée que les autres. C'est celle qui porte l'**accent de mot**. La place de l'accent de mot s'apprend en anglais, comme on apprend le genre (masculin/féminin) dans d'autres langues.

| a desert /ˈdezət/ | ≠ a dessert /diˈzɜːt/ |
| un désert | ≠ un dessert |

▶ La syllabe accentuée a un son vocalique prononcé. Les sons vocaliques des autres syllabes sont souvent réduits aux sons /ə/ ou /ɪ/.

| comfortable /ˈkʌmfətəbl/ | courage /ˈkʌrɪdʒ/ |

⚠ CAREFUL!

Les noms composés (nom + nom) sont généralement accentués sur le premier nom.

'football   'copybook   'pencil case

320 Les suffixes

▶ Les suffixes *-ic(s)*, *-ion*, *-ity* (suffixes « forts ») déplacent l'accent de mot sur la syllabe qui les précède.

| 'science → scien'tific | i'magine → imagi'nation |
| e'conomy → eco'nomics | 'nation → natio'nality |

▶ Tous les suffixes ne sont pas forts : *-able*, *-ible*, *-ism*, *-ment*... (suffixes « faibles ») n'ont pas d'incidence sur la place de l'accent.

| 'comfort → 'comfortable | 'critic → 'criticism |

321 Les terminaisons

La terminaison -*ed* (prétérit et participe passé)

/t/ après
/f/, /k/, /p/, /s/ et /ʃ/
topped
practiced
washed

-ed

/ɪd/ après /t/ et /d/
▸ wanted
▸ added

/d/ dans tous les autres cas
▸ robbed
▸ banned
▸ squeezed
▸ played

La terminaison -*s*

Le **s** du pluriel, le **s** de la 3ᵉ personne du singulier au présent et le **s** du génitif suivent les mêmes règles de prononciation.

/s/ après
/f/, /k/, /p/, /t/
cliffs
works
Patrick's
caps
cuts

-s

/z/ dans tous les autres cas
et en particulier
après une voyelle
gags   cleans
flowers   goes
plays   Paul's

/ɪz/ après
/s/, /ʃ/, /z/, /dʒ/
▸ cases
▸ watches
▸ pleases
▸ pages

322 Accent britannique et accent américain

		GB	US
le *r* en fin de syllabe	driver car	/ˈdraɪvə/ /kɑː/	/ˈdraɪvər/ /kɑːr/
le groupe « voyelle + *r* + consonne »	part fork bird	/pɑːt/ /fɔːk/ /bɜːd/	/pɑːrt/ /fɔːrk/ /bɜːrd/
le *o* de dog	dog	/dɒg/	/dɑːg/

La phrase

323 L'accentuation des mots

▶ Généralement, dans une phrase, les **mots grammaticaux** d'une syllabe (auxiliaires, déterminants…) ne sont pas accentués. Seuls les **mots porteurs de sens** (noms, adjectifs, verbes lexicaux) le sont.

- I've never **seen John's sister**. /aɪv nevə ˈsiːn ˈdʒɒnzˈsɪstə/
  Je n'ai jamais vu la sœur de John. [mots accentués en gras]

▶ Néanmoins il arrive que l'on fasse porter l'**accent sur un mot grammatical**, pour insister.

- Don't touch this! It's **my** bag.
  Ne touche pas à ça ! C'est mon sac.
  [On insiste sur le fait que c'est « à moi ».]

- I don't know if you have finished, but I **have** /hæv/.
  Je ne sais pas si tu as fini, mais moi, si.

324 Les groupes de souffle

▶ Il est important de prononcer la phrase sans la couper n'importe où. On appelle groupes de souffle les groupes de mots qui correspondent à des unités de sens.

- You keep telling me / you never lose anything!
  Tu n'arrêtes pas de me dire que tu ne perds jamais rien !

⚠ CAREFUL !

Une erreur de prononciation courante est d'ajouter des « h » au début des mots… Il faut souvent faire les liaisons et ne pas détacher les mots les uns des autres, particulièrement dans la lecture à haute voix.

I know Pat's uncle. [on lit *Pat's uncle* comme un seul mot]
Je connais l'oncle de Pat.

325 L'intonation en fin de phrase

▶ Une phrase affirmative a une intonation descendante… sauf si elle est inachevée.

- I like English very much. ↘
  J'aime beaucoup l'anglais.

• I want your book, your pencil case, your schoolbag... ↗
Je veux ton livre, ta trousse, ton cartable...

▶ Une question commençant par un mot interrogatif (*where, when*...) a une intonation **descendante**, mais une *yes/no question*, commençant par un auxiliaire, a une intonation **montante**.

• Where do you live? ↘   mais : Do you like tea? ↗
Où est-ce que tu habites ?   Tu aimes le thé ?

▶ Une reprise brève (avec auxiliaire) change de sens en fonction de l'intonation en fin de phrase.

• "He's the best pupil in his class." "Is he?" ↗
[étonnement sincère]

• "He's the best pupil in his class." "Is he?" ↘
[étonnement feint, ironie]

326 Le schéma intonatif

On appelle *schéma intonatif* ce qui permet d'exprimer des émotions comme la colère, la surprise... La même phrase peut être prononcée différemment selon l'émotion du locuteur.

• My sister married John Auster last summer. [ton neutre]
• My sister married John Auster last summer. [en colère]

Méthode

Comment passer de l'écrit à l'oral ?

Tu dois faire une présentation en anglais devant ta classe : tes notes sont prêtes mais comment faire pour t'entraîner à bien prononcer ?

1 Cherche dans un dictionnaire la transcription phonétique des mots que tu n'as jamais entendu prononcer.

2 Souligne les syllabes et les mots accentués.

3 Marque les groupes de souffle pour faire des pauses et respirer au moment opportun (le sens de la phrase t'aide).

4 Inscris un signe de liaison lorsque tu as tendance à ajouter un *h* qui n'existe pas.

5 Soigne l'intonation, en particulier en fin de phrase, en fonction de ce que tu veux exprimer.

ANNEXE

ANNEXES

Les CORRIGÉS

Be (1-4)

1. 1. We aren't *ou* We're not (are not) – we're (we are) • 2. I'm (I am) – they're (they are) – they aren't *ou* they're not (are not) • 3. Laurie isn't (is not) – Is she • 4. she was – She wasn't (was not) • 5. I was – we weren't (were not)

2. 1. I **am** very cold and hungry but I **am** happy to be with you. • 2. Do you think she **is** right? • 3. My older sister **is** 20 years old. • 4. I don't understand! There **is** just one chair at the table but there **are** 4 guests for dinner. • 5. Look! She **is** wearing new jeans! • 6. They **were** watching TV when I arrived. They **weren't** doing their homework !

Have (5-8)

1. 1. Rex **has got** four bones. • 2. He's **got (has got)** a nice doghouse. • 3. I've **got (have got)** a lot of friends. • 4. You've **got (have got)** plenty of time. • 5. **Have** you **got** any brothers and sisters?" " No, I **haven't got** any. I'm an only child." • 6. "**Has** Tony **got** a cat?" "No, he **hasn't got** a cat but he 's **got (has got)** a dog."

2. *Il faut rayer les phrases* **1**, **3** et **6**.

Do (9-10)

1. 1. We don't (do not) play tennis. • 2. Do they go to the cinema every Sunday? • 3. Does Frank prefer tea to coffee? • 4. Linda doesn't (does not) drive to work.

2. 1. "What are you **doing**?" • 2. "I'm not **doing** anything at the moment but I have to **do** my homework for tomorrow. And you?" • 3. "I'm **making** some tea. I'd like to drink a nice cup of tea before I **make** my bed and do the housework." • 4. "OK. But, please, don't **make** too much noise. I have to **do** my maths exercises and I don't want to **make** any mistakes!" • 5. "I promise I'll be quiet... I know you are **doing** your maths exam soon."

1. 1. My sister hates green beans. • 2. She doesn't like vegetables. • 3. What do you think? • 4. I don't usually get up early at weekends. • 5. My parents often go to London. • 6. Do Tom and Anna live there?

2. 1. What **are** you **doing** here? Your parents **are waiting** for you at the cafeteria. • 2. "What **do** you **do** for a living?" "I **work** as an accountant, but right now I'm **enjoying** a nice cup of tea and I **don't wish** to be disturbed." • 3. "**Do** you **understand** what I **am telling** you right now?" "Of course I do! And I **agree** with you!" • 4. Listen ! He **is playing** the piano. He **plays** very well for his age!"

1. 1. Leila **said** she **didn't like** music. • 2. How long **did** you **live** in York? • 3. I **lived** there for 2 years and then **moved** to Bath. • 4. When they **were** young, they

didn't **go** on holiday in the summer. They **stayed** home. •
5. We **went** to Los Angeles last month and we **loved** it.

2. 1. I **saw** this film last weekend. •
2. How long ago **did they go** to New Zealand? • 3. I **was watching** TV when my mother **arrived**. •
4. When the postman **rang** at the door, I **was having** breakfast.

Le *present perfect* (26-34)

1. 1. I think Doug **has lost** his keys. •
2. I**'ve (have)** already **seen** that film. • 3. **Have** you **received** my letter? • 4. My cousin **has** never **been** to London. • 5. My brother **has** just **passed** his exam. •
6. We**'ve (have) lived** here since I was born.

2. 1. It **has been raining since** 9 o'clock this morning. • 2. My brother **has been cooking for** 2 hours. • 3. My grandparents **have been travelling for** 2 months. •
4. I **have been working since** I woke up. • 5. Tom **has been learning** French since 2015.

3. 1. Yes, it's **been raining**! • 2. I've **been waiting** for two hours. •
3. We **went** to India three years ago. I**'ve always wanted** to go back. • 4. Cory **has known** the truth since the age of ten. •
5. How long **have you been working** for this firm? *ou* How long **have you worked** for this firm?

Le *pluperfect* (35-37)

1. 1. She **had already seen** it. •
2. It **had rained** all afternoon. •
3. If I **had known** I wouldn't have

come. • 4. Sammy said they **hadn't (had not)** visited the city but they **had had** dinner in a nice restaurant.

2. 1. Mes parents vivaient à Londres depuis dix ans quand ils ont décidé de déménager au pays de Galles. • 2. Il la connaissait depuis deux ans quand il lui a demandé de l'épouser. • 3. Depuis combien de temps pleuvait-il quand tu as arrêté de nager ? • 4. Je venais d'appeler Lou quand son petit ami est arrivé. • 5. Si seulement il nous avait dit la vérité.

Le passif (38-41)

1. "Rex looks so sad."
"That's because he's being puni-shed." (*présent en* be + -ing)
"But that's unfair! He was already punished yesterday." (*prétérit*)
"Yes, I punished him yesterday because he stole a chicken wing."
"I hope he'll never be punished again!"

2. 1. The door has been closed. •
2. The famous painting has been stolen. • 3. Our vase was broken yesterday. • 4. The whole cake was eaten yesterday. • 5. This letter will be scanned soon.

Qu'est-ce qu'un modal ? (42)

1. 1. Sorry, I must leave now. •
2. His girlfriend has got long curly hair. • 3. They won't come with me. I'll have to go alone. •
4. Can you help me please ? •
5. It's late. You should go to bed. • 6. He doesn't speak Spanish very well.

1. 1. You can't run. • 2. You can't take pictures. • 3. You can have a drink. • 4. You can ride your/a bike here.

2. "Can you swim, Sam?"
"Of course, I **can**. And you, Lee?"
"No, I **can't**."
"What? You **can't** swim?"
"No, I **can't** swim. So what?"
"If you **could** swim, we would go to the swimming pool."
"But I don't have a swimsuit!"

3. 1. When Lana was young, she **was able to play** the piano very well. • 2. When they were at school, they **were able to run** very fast. • 3. When he was on in South Africa, he **wasn't (was not) able to get** a job. • 4. Tonight, I **will be able to go** to bed early. • 5. Next weekend, we **won't (will not) be able to leave** home.

1. 1. Probabilité • 2. Permission • 3. Permission • 4. Probabilité • 5. Probabilité • 6. Permission

2. 1. c • 2. d • 3. a • 4. f

1. 1. You **mustn't** stay seated. • 2. We **didn't have to** take another train. • 3. Al **doesn't have** to finish his homework and I **don't have** to help him. • 4. The lights **aren't** on. They **can't** be at home.

2. 1. We had to repair our bikes last week. (*passé*) • 2. I had to talk to Ahmed yesterday. (*passé*) • 3. We'll have to wake up early when we go back to school. (*avenir*) • 4. You didn't have to run because you had plenty of time. (*passé*)

1. 1. **Conseil** : Tu devrais leur envoyer un e-mail maintenant. • 2. **Conseil** : Ton frère devrait voir un médecin. Il a l'air si pâle. • 3. **Probabilité** : Ils devraient arriver bientôt. • 4. **Suggestion** : Maman, est-ce que tu veux que j'aille chercher Tom à l'école ?

2. 1. a • 2. b • 3. b • 4. a

1. 1. Yes, Zack and Alex **will** go to the same school next year but they **won't** be in the same class. • 2. When I Ø go to London next summer, I **will** visit the British Museum. • 3. Where **will** you be in 2020? • 4. I don't know where I **will** be but I know I **won't** be here.

2. 1. The sun **will set** in an hour. • 2. I am **going to work** hard this year. • 3. We **are going** on holiday tonight. • 4. I **will go** to bed when I'm tired. • 5. The plane **is about to take off**.

1. 1. Conditionnel • 2. Habitude • 3. Habitude • 4. Conditionnel

2. 1. It's very late. You **had better** go back home now. • 2. Please, Mum, I **would rather** not spend the weekend at Ray's! I'd like to stay home. • 3. We **would rather** live in London than in Paris. • 4. You **had better** work hard this year if you want to pass your exam. • 5. We **had better** be on time ! I don't want to miss the beginning of the show! • 6. She said she **would rather** leave than see him again!

L'impératif (65-67)

1. 1. Tell her you love her. • 2. Let's not follow them. • 3. Don't write on the tables! • 4. Let's listen to the instructions first.

2. 1. **Be** honest! **Tell** me the truth! • 2. **Let's not make** the same mistake again! **Let's be** careful this time! • 3. **Listen** to the dialogue, then **do** the exercise: **tick** the correct answers. • 4. The weather is beautiful today. **Let's have** lunch in the garden!

Tags et réponses brèves (68-71)

1. 1. They are in Canada, **aren't they**? • 2. She's not French, **is she**? • 3. You can't drive, **can you**? • 4. He loves her, **doesn't he**?

2. 1. Yes, I am. • 2. Yes, I can. • 3. No, I don't. • 4. So do I. • 5. Neither are we. • 6. I don't.

Les types de noms (72-75)

1. 1. de l'huile d'olive • 2. une robe en coton • 3. de la canne à sucre • 4. un garde du corps • 5. une fin de semaine (un week-end) • 6. un parking • 7. une athlète • 8. une intoxication alimentaire – Le plus souvent, on traduit d'abord le deuxième nom, puis le premier. Parfois, on utilise un seul nom en français ("parking" pour *car park*). Parfois on emploie le même nom : "week-end" !

2. Indénombrables : 1, 4, 5, 6, 8.

3. 1. There's **some** fruit on the table. Do you want **an** apple? • 2. *The Guardian* is **a** famous British paper. • 3. Could you give me **some** paper, please? I've forgotten my copybook. • 4. Would you like **a** glass of orange juice? • 5. We'd like to have **some** information about what to see in this city.

Le pluriel des noms (76-78)

1. Pluriels en -*s* : monkeys, holidays, horses • Pluriels en -*es* : volcanoes, toothbrushes, geniuses • Pluriels en -*ies* : babies, candies, puppies

2. 1. two sandwiches • 2. two kilos of potatoes • 3. five women • 4. thirty-two teeth • 5. ten policemen

3. 1. my two brothers • 2. the people I know • 3. my blue jeans • 4. the handlebars of my bicycle • 5. four sheep • 6. his new trousers • 7. the baby's pyjamas • 8. three goldfish

Les articles (79-83)

1. 1. **The** sun rises in the east. • 2. Ø women usually live longer than Ø men. 3. Pass me **the** salt, please! • 4. Anna plays **the** saxophone and her sister plays **the** clarinet. • 5. **The** young spend a lot of time on social networks whereas Ø elderly people rarely do.

2. 1. I like Ø coffee, and you? • 2. **The** young usually enjoy going to **the** cinema. • 3. She often watches Ø television, but she never listens to **the** radio. • 4. Where is **the** book you mentioned? • 5. I met John Ø last week.

3. 1. **The teacher** gave us a lot of homework. • 2. I saw **an elephant** when I was in Africa. • 3. **The elephant** has a very good memory. • 4. **Teachers** work more in Great Britain. • 5. He is **a teacher**.

1. "I love **these** blue dresses! Especially **this** one with the dots!" "I prefer **that** red one, over there!"

2. 1. **that** shooting star • 2. **this** tea • 3. **These** children here / **Those** children over there • 4. **that**

1. 1. I have **some** marmalade in my fridge. • 2. Do you sell **any** ink pens? • 3. These biscuits look delicious! I want **some**. • 4. Does she have **any** idea where my shirt is?

2. 1. **some** help • 2. **any** help – **any** help • 3. **some** money – **any** • 4. **any**thing (*en un seul mot*) • 5. **any** advice • 6. **some** sugar

3. 1. I saw **nobody (no one)** this morning. • 2. "They did**n't** say **anything**." "Well, they did**n't** have **anything** to say." • 3. Julia went **nowhere** during the Easter break. • 4. You ate **nothing**. Are you sick?

1. 1. **Either** is fine. • 2. "...**neither** works properly." "...I need them **both**." • 3. Kim is **both** American and European. • 4. She lives **either** with her brother **or** with her uncle... • 5. ... but she is **neither** very open-minded, **nor** funny. • 6. "**Either**. I don't care."

1. 1. She always has **many** things to say. • 2. I haven't got **much** time, so please be quick! • 3. Tom doesn't like her **much**, but he seems to have **a lot of** things to tell her! • 4. I can't hear! There are **too many** people!

2. 1. few • 2. a few • 3. a little • 4. little • 5. a little • 6. a few • 7. a little

1. 1. My friends work **all the time**. • 2. I was in bed **every morning**. • 3. Every school **has** a playground. • 4. **All the neighbours** were invited. • 5. I go to school **every day** of the week but not on Sundays! • 6. They **all** came to the party, but **each** guest brought a different present.

2. 1. **Most** people • 2. **All** of them • 3. **Each** • 4. ...**every**where (*en un seul mot*)

1. 1. five hundred and forty-two • 2. one thousand and fourteen • 3. ten thousand three hundred and six • 4. four hundred inhabitants • 5. King James the sixth • 6. two thirds of the population

2. 1. It's five (minutes) to five / It's four fifty-five. • 2. It's a quarter to eight / It's seven forty-five. • 3. It's nine o'clock. • 4. It's twenty-five past twelve/ It's twelve twenty-five. • 5. It's half past eight / It's eight thirty. • 6. It's a quarter past one / It's one fifteen.

Les possessifs (113-114)

1. Samantha is 15. **Her** favorite sport is cycling. **Her** bike is very expensive, **its** colours are orange and pink. As for Bob, **her** brother, **his** favorite "sport" is driving! He is very proud of **his** new car. **Its** colour is green.

2. Aziz – "Hello, everybody. **My** name is Aziz. **I** am 15. Some of you already know **me**. Do **you** have any questions?"
Alwena – "Yes, Aziz, why do **you** want to be **our** representative? What are **your** ideas?"
Aziz – "I can't summarize **them** in one sentence. But **I** am here with Michelle. Listen to **her** ideas. And James is here too. We'll listen to **his** ideas later."

Génitif ('s) et "nom + of + nom" (115-119)

1. 1. It is Jane's bike. • 2. It is my parents' hotel. • 3. They are Frances's books. • 4. ... here are these children's recipe. • 5. They are the Smiths' mugs. • 6. This is my cousin's new pair of shoes.

2. 1. Kim's husband • 2. David's

school • 3. a bag **of** sweets • 4. the teachers' decision • 5. a bottle **of** lemonade • 6. my grandparents' summer house • 7. the king's cousins – Il faut utiliser **of** quand **le premier nom désigne un objet**.

Pronoms réfléchis et réciproques (120-121)

1. 1. I think they enjoyed **themselves**. • 2. Christopher is looking at **himself**. • 3. Darling, did you hurt **yourself**? • 4. OK, children, help **yourselves** to more cake. • 5. I sent an email to **myself**. • 6. My brother and I consider **ourselves** as the most intelligent of the family.

2. 1. They love **each other** (*ou* one another). • 2. So, they congratulated **each other** (*ou* one another). • 3. Relax! 4. I did this exercise all by **myself**.

Les adjectifs (122-126)

1. 1. interested **in** • 2. responsible **for** • 3. angry **about** • 4. fond **of** • 5. different **from**

2. 1. choquant • 2. bon • 3. orphelin de mère • 4. une robe rouge rubis • 5. né à Cuba • 6. a l'air délicieux

Comparatifs et superlatifs (127-133)

1. "Doggy is **bigger than** Kitty."
"Yes, but Kitty is **more intelligent than** Doggy."
"Is Kitty **older than** Doggy?"
"No, Kitty is not **older than** Doggy."

"So, she's **younger!**"

"Yes, and she's also **more aggressive than** him."

2. "It's **the best** restaurant…"

"Is it as good as the Indian in Oxford?"

"I think it's even better!"

"And what's **the worst** restaurant in town?"

"It's called Greasy Spoon. It's also the **cheapest!** But it's in **the largest** and **(the) most beautiful** square in town."

Un verbe suit un autre verbe (134-139)

1. 1. Stop **shouting**! • 2. This clown makes me **laugh**. • 3. I want **to buy** a new dress. • 4. Brian refused **to help** Kevin. • 5. Have you started **cleaning** your room?

2. 1. I love **to dance** *ou* **dancing**. I'd love **to dance** now! • 2. If you help me **write** *ou* **to write** this essay, you'll never hear me **complain** *ou* **complaining** again! • 3. **Running** on a wet road can be dangerous. • 4. Do you look forward to **going** on holiday? • 5. It's no use **crying** over spilt milk.

Les propositions relatives (140-143)

1. *Pronoms relatifs donnés dans l'ordre de préférence :* 1. who *ou* that • 2. that *ou* which • 3. Ø *ou* that *ou* which • 4. Ø *ou* who *ou* that

2. 1. which • 2. you told me about • 3. what • 4. which

Les types de phrases (144-149)

1. 1. Sandy doesn't need a passport. Does Sandy need a passport? • 2. It doesn't rain a lot here. Does it rain a lot here? • 3. He won't call Ben's parents. Will he call Ben's parents? • 4. The school doesn't have a swimming pool. Does the school have a swimming pool?

2. 1. She hasn't finished her soup. • 2. How far did you travel last time? • 3. Who did you go with? • 4. Does he know about her wedding?

3. 1. **How tall** is your mum? • 2. **How much** is this cake? • 3. **Where** do you want to go? • 4. **Whose** schoolbag is this? • 5. **Which** DVD do you want to see? • 6. **How long** are they going to stay with you?

Coordination et subordination (150-152)

1. 1. Because • 2. if • 3. ~~that~~ • 4. ~~that~~ (*Seul* that *peut être supprimé.*)

2. 1. arrive • 2. was *ou* were • 3. know • 4. wouldn't have said • 5. were • 6. finish *ou* have finished • 7. don't eat *ou* haven't eaten

Le discours indirect (153-157)

1. 1. Harry said he was tired. • 2. Karl and Kim said they were from Germany. • 3. My friend Julie said she couldn't dance. • 4. My colleagues said they had already seen that film. •

5. My brother told me she was still driving. • 6. She informed me she would leave soon.

2. 1. Liz said she'd (would) go with her parents. • 2. They said they had gone to the zoo the week before. • 3. Laura asked me if my brother was happy. • 4. She asked me where I had gone the year before.

Les prépositions (158-162)

1. A quick conversation **on** the phone
David – "I'm not **at** home. I'm going **to** the station. I'm **on** a bus right now. My cousin is arriving **in** twenty minutes, **at** 11:30. She always visits me **on** Saturdays."
Tom – "Listen **to** me, David. Today is Friday!"

2. 1. She entered Ø the room. • 2. He explained **to me** the concept. • 3. Please **take your coat off** ou **take off your coat**! And your shoes, **take them off** too! • 4. I listen **to** all kinds of music.

Les adverbes (163-168)

1. 1. Patty was really tired. • 2. Her brother is so nice. • 3. She isn't stupid enough to say that. • 4. Does she often travel by train?

2. 1. You will succeed if you work **hard**. • 2. She has been to Japan **lately**. • 3. I don't know if I read **fast** enough. • 4. It's **nearly** half past two. • 5. She took the **late** train to Brussels. • 6. He **kindly** offered me some chocolates.

3. 1. We've **always** wanted to go to Egypt. • 2. **Maybe** my cousin Alice in on holiday. • 3. I've **often** talked to your parents about you. • 4. I will **really** miss you. In fact I **already** miss you.

Vocabulaire

Décrire quelqu'un (169-176)

1. 1. a young boy • 2. tall and thin • 3. a small nose – blond hair • 4. blue trousers – a shirt – a cap – trainers

2. 1. clumsy • 2. nice, kind • 3. silly, stupid • 4. selfish • 5. unfair

Parler de sa famille (177-181)

1. 1. brother • 2. aunt • 3. grandmother • 4. daughter • 5. nephew • 6. half-sister • 7. wife • 8. stepfather

2. 1. pregnant • 2. an only child • 3. the eldest • 4. a teenager • 5. mummy • 6. twins • 7. argue

Les goûts et les sentiments (182-189)

1. ♥ I love > I'm fond (of) > I'm interested (in) > I don't mind > I can't stand > I hate ✖

2. 1. It's so boring to be here. • 2. I'm disappointed to see you. • 3. I'm cheerful. • 4. I'm dreadful. • 5. You're really fearful. • 6. I'm really hopeless!

Saluer, se présenter, inviter (190-194)

1. 1. **Goodbye**! (*Seul mot que l'on ne peut pas utiliser pour dire*

« bonjour ».) • 2. **Welcome!** (*Seul mot que l'on ne peut pas utiliser pour dire « au revoir ».*) • 3. **See you later!** (*Seule expression que l'on ne peut pas utiliser lorsqu'on rencontre qqn*) • 4. **Have you introduced Alex?** (*Dans les autres cas, on présente Alex à qqn*) 5. **Have you met my friend Paul?** (*Seule phrase qui ne soit pas une formule d'excuse.*) • 6. **See you next week.** (*C'est une salutation, les deux autres sont des formules de politesse.*)

2. 1. Come over for dinner tonight! • 2. a wedding anniversary • 3. my birthday party • 4. to celebrate • 5. Thanks a lot! • 6. Bless you!

À la maison (p. 195-200)

1. 1. downstairs ≠ **upstairs** • 2. the attic ≠ **the cellar** *ou* **the basement** • 3. terraced houses ≠ (semi-) detached house(s) • 4. to switch on ≠ **to switch off** • 5. to own ≠ **to rent**

2. 1. a dishwasher, a sponge • 2. a washing machine • 3. a duster • 4. oven • 5. remote control • 6. fireplace • 7. hair dryer

À l'école (201-208)

1. 1. the break • 2. to listen (to sb) • 3. a copybook • 4. the timetable • 5. a diary • 6. a ruler

2. 1. to fail : *échouer* • 2. a mark : *une note* • 3. a marker : *un feutre* • 4. a piece of chalk : *une craie* • 5. the average : *la moyenne*

3. 1. dictionary – word • 2. chat – talkative • 3. translate – word •

4. behaviour – bully • 5. quote – mistakes • 6. spell • 7. correct – late

Dans la vie de tous les jours (209-214)

1. 1. d • 2. b • 3. c • 4. e

2. 1. He's having lunch / a sandwich / a snack. • 2. He's doing his homework. • 3. He's going to school. • 4. He's texting.

3. 1. a • 2. c • 3. c • 4. a • 5. b

À table (215-222)

1. 1. a turkey • 2. crisps • 3. mashed potatoes • 4. a pie • 5. still water • 6. a cherry • 7. corn

2. 1. pan • 2. bitter • 3. rare • 4. the main course • 5. a chef

La santé (223-229)

1. 1. c • 2. e • 3. d • 4. a • 5. f • 6. b

2. 1. teeth • 2. ill, sick • 3. surgery, office – appointment • 4. prescription – drugs, medicine • 5. diet. • 6. hospital / ER – an ambulance • 7. on form / healthy

Les sports (230-233)

1. 1. a coach : *un entraîneur* • 3. a referee : *un arbitre (au foot)* • 4. a goal : *un but* • 5. a goalkeeper : *un gardien de but* • L'intrus est 2. a team *(une équipe).*

2. outdoor activities: hiking, jogging, horse riding, skiing, riding a bike • places: a court, a stadium, a footpath, a swimming pool, an ice rink • people: a coach, a runner, an athlete, a sportsman

Les loisirs (234-238)

1. 1. HEART (*cœur*) • 2. CROSSWORDS (*mots croisés*) • 3. CLUB (*trèfle*) • 4. ACCOUNT (*récit*) • 5. NOVEL (*roman*) • 6. WRITER (*écrivain*) • 7. FOLLOW (*suivre*)

2. 1. Beauty and the Beast: fairy tales • 2. The Beatles: bands • 3. Roald Dahl: writers • 4. Shakespeare : playwrights • 5. Superman: heroes • 6. *Romeo and Juliet*: plays • 7. Royal Albert Hall: concert halls

La ville (239-245)

1. 1. **Wrong** (a city = a large town) • 2. **Right** • 3. **Right** • 4. **Wrong** (jam = *confiture*, mais traffic jam = *embouteillage*) • 5. **Wrong** (car = *voiture*) • 6. **Wrong** • 7. **Right** (subway = *métro de New York*) • 8. **Right**.

2. 1. a bookshop • 2. a library • 3. open • 4. the town hall • 5. a shopping mall • 6. a baker's (shop)/bakery • 7. a customer • 8. the cash desk.

Trouver son chemin (246-249)

1. 1. b • 2. d • 3. a • 4. c

2. ''Excuse me, sir. Can you tell me the **way to** the cinema, please?'' ''Sure! Walk up this **street**. At the roundabout, walk **straight** on, past the shoe shop. **Cross** Old Street and turn **left** at the traffic **light**. The cinema is **next** to the library, **opposite** the stadium.'' ''Is it **far** from here?'' (...)

Le monde du travail (250-255)

1. 1. a hairdresser • 2. a farmer • 3. a bus driver • 4. a fireman • 5. a worker, a mechanic • 6. a postwoman

2. 1. e • 2. a • 3. d • 4. c • 5. f • 6. b

Les animaux (256-261)

1. 1. a vet (*ce n'est pas un animal*) • 2. a cow (*seul animal de la ferme*) • 3. a caterpillar (*ce n'est pas un insecte volant*) • 4. a tortoise (*ce n'est pas un animal de la ferme*) • 5. a bird (*seul animal volant*)

2. 1. a frog • 2. a whale • 3. a hare • 4. an eagle • 5. a zebra • 6. a giraffe

L'environnement (262-267)

1. 1. a • 2. b • 3. b • 4. b • 5. b • 6. b • 7. a • 8. b

2. 1. wet ≠ **dry** • 2. day ≠ **night** • 3. sunrise ≠ **sunset** • 4. hot ≠ **cold** • 5. summer ≠ **winter** • 6. autumn ≠ **spring** • 7. sounds ≠ **silence** • 8. temperate (climate) ≠ **extreme**

L'écologie (268-272)

1. 1. the Earth • 2. deforestation • 3. recycling • 4. smoke

2. 1. global warming • 2. an oil spill • 3. the ozone layer • 4. in a dump • 5. an environmentalist • 6. a wind turbine

Les voyages (273-278)

1. 1. I want **a one-way ticket/single ticket to** Timbuktu. – *Pense à mettre* to *pour indiquer la direction.* • 2. I wonder if we will **be accommodated** in a **youth**

hostel or in a **B & B.** • 3. The **air hostess/stewardess** said that the **(air)plane** would **take off** in five minutes. • 4. There are **tolls** on **French motorways/highways**.
– *Pense à la majuscule de* French *et, de façon générale, pense à mettre le -s du pluriel, sauf pour les adjectifs, qui sont invariables.*

2. 1. cross • 2. foreign • 3. stay • 4. the border • 5. abroad • 6. a stay • 7. the customs • 8. the customs • 9. the journey

Les problèmes mondiaux (279-283)

1. 1. HUNGER • 2. UNEMPLOYED • 3. HOMELESS • 4. SLAVES • 5. SEGREGATION • 6. LAW

2. 1. a murderer ≠ a victim • 2. unsafe = dangerous • 3. to invade ≠ to flee • 4. to do voluntary work = to help • 5. war ≠ peace • 6. dead ≠ alive • 7. a soldier ≠ a civilian • 8. to give = to donate

La communication (284-291)

1. 1. an idea • 2. a pen pal / a pen-friend • 3. a text • 4. a stamp • 5. a writing pad

2. a. ATTACHEMENT : 3 • b. ANSWERING MACHINE : 1 • c. SUBSCRIPTION : 4 • d. VIEWER : 2

Créations et découvertes (292-295)

1. 1. d • 2. e • 3. a • 4. c • 5. b • 6. b • 7. d • 8. b

2. 1. **discovery** (*ce n'est pas une science*) • 2. **NGO**s (NGO = Non-Governmental Organization, *ce n'est pas en rapport avec la science*) • 3. **to revolve** (*ce n'est pas une activité humaine*) • 4. **an experiment** (*ce n'est pas une œuvre d'art*) • 5. **the sky** (*ce n'est pas un astre*) • 6. **a telescope** (*seul instrument*)

Fêtes et traditions (296-304)

1. 1. a pumpkin, a Jack-o'-lantern • 2. a bell • 3. a present, a gift • 4. a candle

2. 1. Christmas • 2. Guy Fawkes' Night, Bonfire Night • 3. Halloween • 4. Thanksgiving • 5. Easter • 6. Saint Patrick's Day • 7. Remembrance Day, Poppy Day • 8. April Fools' Day

Le monde anglophone (305-311)

1. Scotland • Ulster • Wales • England • Northern Ireland

2. 1. The White House • 2. Hollywood • 3. India • 4. Australia • 5. The Great Barrier Reef.

INDEX GRAMMATICAL

Les numéros renvoient aux **PARAGRAPHES**.

INDEX GRAMMATICAL

Crédits iconographiques

179 Coll. Archives Hatier • 188 ph © Ben A. Pruchnie / Getty Images / AFP • 195 ph © Moviestore collection Ltd / Alamy Stock Photo • 204 ph © Peter Forsberg / Alamy Stock Photo • 213 ph © Gerard Ferry / Alamy Stock Photo • 222 © Sandhill View Academies / DR • 226 ph © Iuliia / stock.adobe.com • 231 ph © Baiba Opule / stock.adobe.com • 237 ph © John Raoux/AP Photo/Sipa • 241 ph © zsolt_uveges / Shutterstock • 250 Coldplay en concert à Hyattsville, Maryland, 6 août 2017 - ph © Kyle Gustafson / For The Washington Post via Getty Images • 252 via Pixabay.com • 260 ph © FSR1 / Alamy Stock Photo • 267 © Tourism Australia - Best Job in the world / DR • 282 ph © Jitka Duchackova / stock.adobe.com • 285 ph © Oliver Forstner / Alamy Stock Photo • 292 ph © Maremagnum / Getty Images • 296 ph © Antony Souter / Alamy Stock Photo • 304 © BBC / DR • 308 ph © Kumar Sriskandan / Alamy Stock Photo • 312 ph © Mitotico / Shutterstock • 313 The First Thanksgiving, 1621, peinture de Jean Leon Gerome Ferris (1889) - ph © World History Archive / Alamy Stock Photo • 315 ph © World Religions Photo Library / Alamy Stock Photo • 318 ph © Nikreates / Alamy Stock Photo • 321 ph © RTRO / Alamy Stock Photo • 322 ph © Dinodia Photos / Alamy Stock Photo

Achevé d'imprimer en Italie par Rotolito
Dépôt légal 04336-7/01 Mai 2018

Hatier s'engage pour l'environnement en réduisant l'empreinte carbone de ses livres. Celle de cet exemplaire est de : 550 g éq. CO$_2$ Rendez-vous sur www.hatier-durable.fr

PAPIER À BASE DE FIBRES CERTIFIÉES

THE BRITISH ISLES

Shetland Islands

Orkney Islands

ATLANTIC OCEAN

Hebrides

Dee
Aberdeen
SCOTLAND
Tay
Dundee

Glasgow
Clyde
Edinburgh

NORTH SEA

NORTHERN IRELAND (ULSTER)
Tweed
Belfast
HADRIAN'S WALL

North Channel

Carlisle
Newcastle-upon-Tyne
Tyne
Pennine Chain

Isle of Man

REPUBLIC OF IRELAND (EIRE)

IRISH SEA

DUBLIN

Leeds
Ouse
Manchester
Liverpool
Sheffield
Trent

ENGLAND

Nottingham

Cambrian Mountains
Severn
Coventry
Birmingham
Great Ouse
Norwich

WALES
Worcester
Stratford-upon-Avon
Cambridge
Gloucester
Cardiff
Bristol
Oxford

St George's Channel
Bath
Thames
LONDON

STONEHENGE
Salisbury
Canterbury
Dover
Channel Tunnel

Southampton
Avon
Calais

Scilly
Plymouth
Isle of Wight

English Channel

100km
100 miles

FRANCE

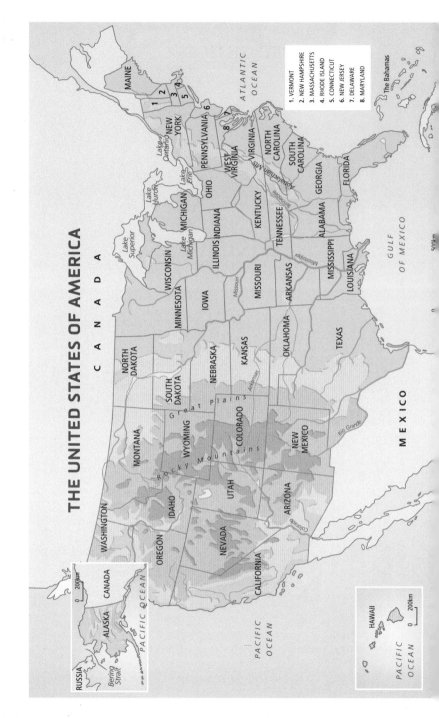